O CLUBE DOS CAÇADORES DE CÓDIGOS

CASO #1:

O Segredo da Chave do Esqueleto

O CLUBE DOS CAÇADORES DE CÓDIGOS

CASO #1:

O Segredo da Chave do Esqueleto

Penny Warner

Tradução: Regina Dell'Aringa

Escarlate

Publicado em acordo com Darby Creek, uma divisão do Lerner Publishing Group, Inc., First Avenue North, 241, Minneapolis, Minnesota 55401, Estados Unidos.

Grafia atualizada segundo o Acordo Ortográfico da Língua Portuguesa de 1990, que entrou em vigor no Brasil em 2009.

Título original
THE CODE BUSTERS CLUB 1:
THE SECRET OF THE SKELETON KEY

Transcrição da Libras
FENEIS

Revisão
KARINA DANZA

Composição
MAURICIO NISI GONÇALVES

CIP-Brasil. Catalogação na Publicação Sindicato Nacional dos Editores de Livros, RJ, Brasil

W247c
Warner, Penny
O clube dos caçadores de códigos, volume 1 : O segredo da chave do esqueleto/Penny Warner; tradução de Regina Dell'Aringa. — 1ª ed. — São Paulo : Escarlate, 2014.

Tradução de: The Code Busters Club 1.
ISBN 978-85-66357-92-9

1. Ficção infantojuvenil americana. I. Dell'Aringa, Regina. II. Título.

14-08595 CDD: 028.5
CDU: 087.5

15ª reimpressão

SDS EDITORA DE LIVROS LTDA.
Rua Bandeira Paulista, 702, cj. 71D
04532-002 — São Paulo — SP — Brasil
(11) 3707-3500
www.companhiadasletras.com.br/escarlate
www.blogdaletrinhas.com.br
/brinquebook
@brinquebook

FSC
www.fsc.org
MISTO
Papel | Apoiando o manejo florestal responsável
FSC® C005648

A marca FSC® é a garantia de que a madeira utilizada na fabricação do papel deste livro provém de florestas que foram gerenciadas de maneira ambientalmente correta, socialmente justa e economicamente viável, além de outras fontes de origem controlada.

Esta obra foi composta em Gazette LH e impressa pela Gráfica Santa Marta em ofsete sobre papel Pólen da Suzano S.A. para a Editora Escarlate em maio de 2024

Para o meu próprio
Clube de Caçadores de Códigos:
Luke Melvin, Lyla Melvin, Bradley Warner
e Stephanie Warner.

LEITOR

Para conferir as respostas e as soluções dos enigmas contidos aqui, consulte o Livro de Respostas e Soluções dos Caçadores de Códigos, na p. 241.

REGRAS DO CLUBE DOS CAÇADORES DE CÓDIGOS

Lema

Desvendar enigmas, códigos e mistérios e manter o Clube dos Caçadores de Códigos em sigilo!

Sinal Secreto

Palma da mão direita voltada para cima, colocada em diagonal sobre o peito (sinal da Língua Brasileira de Sinais para "amigo").

Senha Secreta

Dia da semana dito de trás para frente.

Ponto de Encontro Secreto

Sede do Clube dos Caçadores de Códigos.

Dossiê do Clube dos Caçadores de Códigos

IDENTIDADE: **Quinn Chaves**

Codinome: “Sete Chaves”

Descrição

Cabelo: preto, espetado
Olhos: castanhos
Outros: óculos de sol

Habilidades especiais: *videogames*, computadores, violão

Central de mensagens: casinha do cachorro

Plano de carreira: criptógrafo da CIA ou *designer* de *games*

Especialidade em códigos: código militar, códigos de computador

IDENTIDADE: **MariaElena – M.E. – Esperanto**

Codinome: “Eme-é”

Descrição

Cabelo: longo, castanho
Olhos: castanhos
Outros: roupas estilosas

Habilidades especiais: análise grafológica, moda

Central de mensagens: cabine de flores

Plano de carreira: perita em grafologia do FBI ou veterinária

Especialidade em códigos: espanhol, mensagem de texto

IDENTIDADE: **Luke LaVeau**

Codinome: "Mano Kuel"

Descrição

Cabelo: preto, encaracolado

Olhos: castanho-escuros

Outros: boné do Saints[1]

Habilidades especiais: esportes radicais, andar de *skate*, palavras cruzadas

Central de mensagens: debaixo da escada

Plano de carreira: *skatista* profissional, dublê, piloto de corrida

Especialidade em códigos: enigmas com palavras, gíria *skatista*

IDENTIDADE: **Dakota – Cody – Jones**

Codinome: "CódigoVermelho"

Descrição

Cabelo: ruivo, cacheado

Olhos: verdes

Outros: sardas

Habilidades especiais: línguas, leitura facial e linguagem corporal

Central de mensagens: buraco da árvore

Plano de carreira: intérprete da ONU ou de Libras

Especialidade em códigos: Língua Brasileira de Sinais, Braille, código Morse, códigos policiais

[1] N.T.: Saints é o nome de um time de futebol americano da cidade de Nova Orleans, na Louisiana, EUA.

AGRADECIMENTOS

Agradeço ao meu extraordinário grupo de análise crítica: Colleen Casey, Janet Finsilver, Staci McLaughlin, Ann Parker e Carole Price. Eu não conseguiria ter feito este livro sem a ajuda e o apoio do meu marido, Tom, da minha mãe, Connie Pike, e da minha família: Mike e Rebecca Melvin, e Matt e Sue Warner. Por fim, um agradecimento especial à minha agente maravilhosa, Stefanie Von Borstel, e aos meus editores incríveis: Regina Griffin e Erin Molta, e a todos da Egmont USA.

SUMÁRIO*

***Para quebrar o código dos títulos dos capítulos, consulte o Livro de Respostas e Soluções dos Caçadores de Códigos, da pp. 241 a 248.**

Capítulo 1

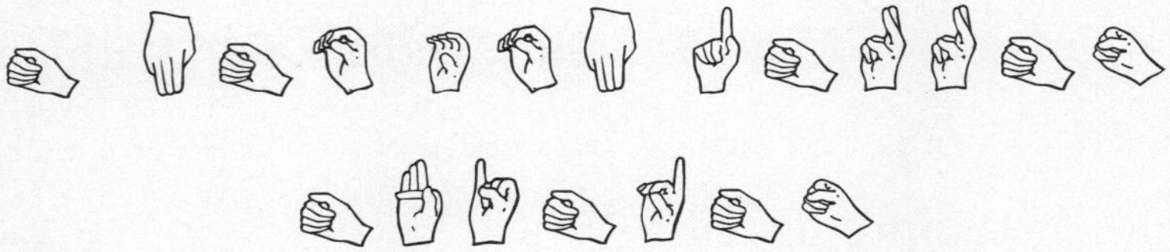

Dakota – Cody – Jones tinha acabado de criar um enigma para ser decifrado pelo Clube dos Caçadores de Códigos, quando ouviu três batidinhas rápidas na janela do seu quarto. Ela se levantou, sentou-se à escrivaninha e virou a cabeça, ouvindo atentamente.

Mais três batidinhas, desta vez com o intervalo de uma batida.

Em seguida, mais três batidas rápidas iguais às três primeiras.

Assim que reconheceu o chamado de SOS, Cody saiu correndo em direção à janela. Sob a luz fraca da rua, viu Quinn Chaves, membro do Clube dos Caçadores de Códigos, agarrado ao freixo gigante próximo à sua janela, com o cabelo preto todo espetado, coberto por um boné de beisebol da Universidade de Berkeley, Califórnia. A única coisa que estava faltando eram os óculos de sol, que ele sempre usava.

Ele estava segurando um galho comprido.

Cody abriu a janela e colocou a cabeça para fora.

– Quinn, o que você está fazendo? – sussurrou ela. Uma brisa levantou a ponta do seu rabo de cavalo ruivo.

Quinn se atrapalhou e deixou o galho escapar. Cody o viu cair alguns metros.

– Quinn! Tome cuidado! – disse Cody.

– Venha cá! – respondeu ele. – Preciso falar com você. É importante! – Cody ergueu o dedo pedindo “um minuto”. Ela fechou a janela, colocou um moletom por cima do pijama de flanela com estampa de gato e desceu a escada na ponta dos pés. A mãe dela estava sentada no sofá da sala, com os olhos grudados num episódio de um seriado policial. Cody não teve dificuldade para passar de mansinho por ela e sair pela porta da frente.

– É bom que seja importante – disse Cody para Quinn, cruzando os braços para se proteger do frio do outono. – Se minha mãe me pegar aqui fora, vou ficar de castigo até o verão. Ou ela vai me mandar para a cadeia! – a mãe de Cody era policial em Berkeley, Califórnia, e sempre que ficava encrencada, ela perturbava a mãe com a ideia de ficar presa na cadeia local.

– Olhe – acenou Quinn com a cabeça na direção da casa em estilo vitoriano toda degradada, que ficava em frente à casa de Cody. – Está acontecendo alguma coisa muito esquisita na casa do Homem Esqueleto.

Cody olhou para o outro lado da rua, para o jardim coberto por ervas daninhas e a casa com a pintura deteriorada, que estava sinistramente iluminada pelo brilho fraco da luz da rua.

– Para mim, parece tudo igual – afirmou ela, encolhendo os ombros. – As mesmas esculturas bizarras no jardim. A mesma tranqueira assustadora na varanda. As mesmas cortinas sujas nas janelas.

Quinn apontou para a janela do segundo andar à direita: – Preste atenção naquela janela.

Cody ficou olhando fixamente para a cortina amarelada e esfarrapada do Homem Esqueleto por alguns instantes. Uma luz sombria brilhou lá dentro. – Eu não vejo nada – falou ela, agitada, voltando o olhar para a porta da frente da casa dela. – Minha mãe está...

– Espere – murmurou Quinn. Ele fitava a janela no alto como se estivesse esperando para ver um fantasma aparecer. – Lá! Você viu?

Cody prendeu a respiração.

A cortina havia esvoaçado.

Uma mão com garras afiadas puxou o tecido para trás da janela riscada e imunda.

– E daí? Ele está olhando pela janela de novo. Ele sempre faz isso. Você sempre diz que ele fica espionando a gente, lembra? Mas, minha mãe falou...

Quinn a interrompeu. – Psiu! Continue prestando atenção!

Cody viu o que parecia ser um dedo torto esquelético traçar uma linha na vidraça suja. Apareceu outra linha. Depois outra.

– Não parece que ele está escrevendo alguma coisa? – perguntou Quinn.

Cody se esforçou para ver na penumbra. – Acho que sim.

– Eu o vi escrevendo algo na janela, quando vim aqui fora pegar minha bicicleta – Quinn morava ao lado do Homem Esqueleto e durante semanas insistia que o velho ermitão os espionava. Agora, ele parecia pensar que o vizinho deles tramava algo ainda mais suspeito. Mas Quinn tinha certa tendência a ver mistério para onde quer que olhasse.

Na realidade, essa é a razão pela qual Quinn criou o Clube dos Caçadores de Códigos. Durante a primeira semana na nova escola, Cody tinha visto um sinal codificado em um dos quadros de aviso.

5-14-20-18-5 16-1-18-1 15 3-12-21-2-5 4-15-19 3-1-3-1-4-15-18-5-19 4-5 3-15-4-9-7-15-19

Desde que aprendeu a Língua Brasileira de Sinais (Libras) para se comunicar com Tana, sua irmã surda, Cody passou a adorar o fato de ser capaz de falar com as pessoas sem que os outros soubessem o que estava dizendo. Nesse sentido, a

Libras era uma espécie de código. Ela logo entendeu que Quinn havia escrito a mensagem num código baseado em matemática chamado código alfanumérico. Cada letra do alfabeto havia sido substituída por um número, começando com o A=1, depois B=2, C=3, e assim por diante.

Confira em Respostas e Soluções dos Caçadores de Códigos na p. 244.

Por ser a garota nova na Escola Cooperativa do Fundamental II de Berkeley, Cody tinha esperança de fazer amigos logo. Quinn foi a primeira pessoa que encontrou e, imediatamente, eles se identificaram. Ela ficou especialmente empolgada ao saber que ele morava bem do outro lado da rua dela. Quinn revelou o codinome dele para ela – Sete Chaves – e a ajudou a criar o dela: CódigoVermelho, uma combinação do nome com o cabelo vermelho dela. Nas semanas seguintes, eles se tornaram grandes amigos. Quando não estavam inventando códigos, jogavam *videogames* solucionadores de enigmas com os outros membros dos Caçadores de Códigos, M.E. e Luke. E Quinn sempre aparecia com algo interessante para fazer, como agora.

– O Homem Esqueleto nunca fez isso antes – continuou ele, balançando a cabeça. – Talvez ele esteja tentando nos dizer alguma coisa.

Cody entrecerrou os olhos, tentando transformar as linhas em letras, porém não faziam sentido. – Elas se parecem mais com desenhos do que com letras. Figuras-palito – afirmou ela.

– Cuidado! – Quinn agarrou o braço dela, e a fez agachar-se debaixo do grande pé de freixo, quase derrubando-a. – Tem mais alguém lá. Olhe!

Cody viu o rosto estranho de uma mulher na janela, espiando. Torceu para que nem ela nem Quinn tivessem sido descobertos, apesar de não estarem fazendo nada de errado. A não ser espionando.

Pouco depois, uma mão balofa surgiu na janela e bateu forte no vidro, borrando as linhas cuidadosamente desenhadas. De repente, as cortinas foram bruscamente fechadas.

Cody olhou para Quinn, que estava apertando o próprio nariz. – Isso foi bizarro.

– Sério – disse Quinn. – Pensei que o Homem Esqueleto morasse sozinho. Quem era aquela pessoa?

Antes que Cody pudesse responder, a porta da frente do Homem Esqueleto se abriu. Com um dedo nos lábios, ela fez sinal para Quinn ficar em silêncio. Uma mulher corpulenta com cabelo loiro ondulado, usando um vestido florido disforme entrou na varanda cheia de tranqueira. Franzindo as sobrancelhas, ela deu uma olhada rápida por tudo, como se procurasse alguma coisa. Ou alguém?

Cody a reconheceu como o rosto da janela do andar de cima.

Instantes depois, um homem baixinho e magricela saiu detrás da mulher todo espremido. Não era o Homem Esqueleto. A mulher disse algo para o tal homem, mas Cody não conseguiu decifrar as palavras.

Quinn acenou com a mão para a frente – o sinal militar para “sair em retirada”. Ele era craque em códigos militares e havia ensinado aos membros do clube não só os códigos de sinais, como também os códigos militares de tempo.

Procurando não fazer barulho, Cody e Quinn se abaixaram e saíram correndo até o meio-fio, evitando os raios das luzes da rua. Quando chegaram à rua, se esconderam atrás do carro vermelho da mãe de Cody. Agora, Cody conseguia ouvir as duas pessoas conversando.

– Eu lhe *disse* para ter cuidado, seu velho bobo – falava a mulher. O homem resmungou algo bem na hora em que passou um carro, abafando as palavras dele. Então, a mulher apontou para a casa de Cody e afirmou: – Tenho certeza de que vi algumas crianças ali...

Cody sentiu um arrepio correndo pela espinha. Eles haviam sido descobertos! De repente, ela sentiu pelos roçando a sua perna.

Abobra! Um dos muitos gatos do Homem Esqueleto que, aparentemente, tinha adotado Cody e que, agora, estava se enrolando no tornozelo dela. Cody adorava gatos, porém não podia ter animais de estimação por causa das alergias da sua irmã de quatro anos. Mesmo assim, isso não a impedia de fazer de conta que o gato cor de laranja era seu. Ontem, ela tinha comprado uma coleira para ele, na qual escreveu o nome "Abobra" com canetinha preta. Ela topou com o gato, enquanto se esforçava para ouvir as duas pessoas conversando na varanda.

– Nós vamos encontrá-lo... tem de estar escondido em algum lugar por aqui... – afirmou o homem.

A mulher corpulenta deu-lhe uma forte cotovelada. – Cale a boca, seu disco de vitrola velho e estúpido! Alguém pode ouvi-lo. Quer estragar tudo pelo que temos lutado? – a mulher deu uma olhadela de lado na direção da casa de Cody, provocando outro arrepio na espinha dela.

– Dakota? – ecoou uma voz detrás dela. Era sua mãe, chamando da varanda da frente. – Você está aí fora?

O som da voz da mãe dela fez o gato fugir e Cody paralisar. Se respondesse, revelaria o esconderijo deles, e aqueles dois esquisitos, do outro lado da rua, ficariam sabendo que haviam sido espionados por crianças. No entanto, se não respondesse, poderia ficar realmente em maus lençóis com sua mãe-policial.

– Cody? O que você está fazendo atrás do meu carro?

Tarde demais. Eles tinham sido descobertos. E aqueles dois esquisitos, do outro lado da rua, ficariam sabendo, com certeza, que haviam sido espionados por eles.

– Entre – ordenou a mãe dela. – Amanhã tem aula! Você sabe que não é para ficar aí fora quando anoitece.

"Ter uma mãe policial realmente tem suas desvantagens", pensou Cody, levantando-se de trás do carro.

Ela deu uma olhada na direção da varanda do Homem Esqueleto, certa de que também haviam sido vistos pelos dois estranhos.

Contudo, a varanda estava vazia.

Ela olhou para cima, para a janela do segundo andar. Estava escuro.

– Tô indo, mãe – gritou Cody. E disse a Quinn: – Tenho de ir. Marque uma reunião no Clube dos Caçadores de Códigos. Sem dúvida, há algo estranho acontecendo.

Quinn lhe fez um sinal de positivo com o polegar e foi para casa.

Cody entrou, deu um abraço de boa-noite na mãe e se aprontou para ir para a cama, sabendo que não havia meio de ela conseguir dormir naquela noite – não com a Dona Flor Gigante e seu parceiro nanico espreitando por toda parte. Ela deu uma última olhada pela janela, procurando por um sinal do Homem Esqueleto ou de seus visitantes.

A casa permanecia às escuras e a entrada, vazia.

O único movimento era o das cortinas do andar superior esvoaçando.

Capítulo 2

Na manhã seguinte, bem cedo, mesmo antes de o despertador tocar, o barulho das sirenes acordou Cody de um pesadelo. Ela havia sonhado com símbolos misteriosos, que não conseguia decodificar. Ela correu para a janela. Embora o céu ainda estivesse escuro, as luzes giratórias de dois caminhões dos bombeiros iluminavam a rua.

A casa do Homem Esqueleto estava em chamas!

Cody ouviu uma batida forte na porta do seu quarto.

– Cody! – a mãe dela abriu a porta e deu uma espiada. – Ótimo, você já levantou! Por favor, acorde sua irmã e vista o uniforme da escola nela. Eu preciso ajudar lá fora, do outro lado da rua – conforme descia as escadas, o *walkie-talkie* dela chiava.

Devido ao seu trabalho, com frequência a mãe de Cody recebia chamadas de emergência no meio da noite, ou de manhã logo cedo. Quando tinha de sair de repente, deixava Cody tomando conta de Tana até que o pai delas conseguisse chegar, vindo do condomínio onde morava, do outro lado da cidade. Essa foi outra complicação "Depois do Divórcio". A mãe de Cody havia assumido o trabalho de policial em Berkeley, fazendo a família se mudar de Jamestown, na região de Gold Country, na Califórnia, para lá. O pai, um advogado, mudou-se também, para ficar mais perto delas, um mês depois.

Cody mal conseguia se afastar da janela. As enormes ondas de fumaça e as chamas intensas a deixaram hipnotizada. Ela observava como meia dúzia de bombeiros saltava dos dois caminhões. Segundos depois, fortes jatos d'água em forma de arco cobriam o telhado, lançando mais nuvens de fumaça para o céu escuro.

Fascinada, Cody viu um bombeiro abrir caminho pela porta da frente. À medida que ele e outros dois bombeiros, usando equipamento de segurança completo: roupa para serviço pesado, capacetes, máscaras para o rosto e luvas desapareciam lá dentro, mais fumaça saía da casa. Uma ambulância chegou apressada e quatro técnicos de emergência médica surgiram repentinamente.

Cody viu a mãe lá embaixo, vestida com o uniforme policial azul-marinho. Ela estava no meio da rua, controlando o trânsito e mantendo a multidão de curiosos afastada. Minutos depois, os bombeiros reapareceram na porta da frente da casa do Homem Esqueleto. Um deles carregava um corpo desmaiado de pijama sobre os ombros. Os paramédicos saíram correndo com o equipamento, colocaram o homem numa maca com cuidado e puseram uma máscara de oxigênio no seu rosto pálido.

Homem Esqueleto.

Antes que Cody conseguisse saber se ele ainda estava vivo, os paramédicos colocaram a maca de rodinhas na ambulância e saíram às pressas, com as sirenes tocando e os faróis piscando. Ela sentiu uma onda de tristeza pelo velho homem, um ermitão que se escondia dentro da própria casa, e ficou se perguntando se algum dos rumores a respeito dele era verdadeiro...

Cody saiu do seu estado de torpor e correu para o quarto de Tana. Ela deu uma sacudida de leve na garotinha.

– Acorda, Tana – ela disse por meio de sinais. Pelo fato de ser surda e não poder ouvir as sirenes, Tana não tinha ideia do que estava acontecendo lá fora. Cody fez os sinais para Tana usando a Libras:

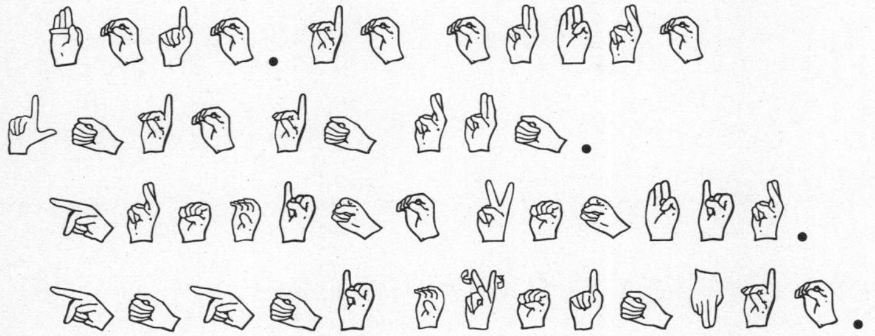

Confira em Respostas e Soluções dos Caçadores de Códigos nas pp. 242, 244 e 245.

Ela ajudou Tana a vestir uma camiseta cor-de-rosa e um moletom, um macacão azul e tênis e, em seguida, ela mesma vestiu correndo uma calça *jeans*, uma camiseta vermelha e um moletom combinando. Pegando Tana pela mão, Cody a fez descer as escadas e a levou para a porta da frente, para dar uma olhada na cena mais de perto. Não ficou surpresa ao ver Quinn de pé, no jardim da casa dele, ao lado da casa queimada, hipnotizado por toda a ação.

Na hora em que Cody chegou à rua, parecia que o fogo tinha sido quase todo apagado. Ainda segurando a mão de Tana, ela atravessou em direção ao jardim de Quinn, onde ele estava com os pais, ambos professores de matemática da Universidade da Califórnia, em Berkeley. Grupos de vizinhos, antes amontoados se acotovelando, agora começavam a voltar para suas casas.

– Alguma ideia de como o fogo começou? – Cody perguntou a Quinn.

Ele deu de ombros.

– Nenhuma pista. Ouvi as sirenes, vi o fogo da janela do meu quarto. Apareceu uma ambulância que levou o Homem Esqueleto...

Cody franziu a cara ao se lembrar da cena e, então, perguntou: – Ei, e quanto àquelas outras duas pessoas?

– Nenhum sinal delas – respondeu Quinn.

Quando voltavam para dentro de casa, os pais de Quinn o chamaram. Ele olhou rapidamente para eles, e, em seguida, virou-se para Cody.

– Tenho de ir. Vou marcar uma reunião com Luke e M.E. Mais tarde, dê uma olhada no seu esconderijo secreto.

Cody fez que sim com a cabeça, vendo sua mãe caminhar em sua direção. Ela não parecia nada contente.

– Cody! Leve Tana para dentro! – ordenou ela. – Vocês duas não deveriam estar aqui fora.

Cody concordou com a cabeça. Enquanto atravessava a rua com Tana, ela deu uma última olhada na casa do Homem Esqueleto, escurecida pelo fogo. De repente, viu um rosto conhecido observando-a da lateral.

Matt, o Peste.

O que ele estava fazendo ali, na rua dela? Sendo abelhudo, claro.

O pai dela o chamaria de advogado de porta de cadeia, sempre se intrometendo nos problemas alheios. A mãe dela tinha lhe avisado para ficar longe dele. Ela havia sido chamada para ir à casa dele algumas vezes: uma vez porque ele jogou uma bola na janela de um vizinho e outra vez porque ele estava derrubando as latas de lixo do bairro. No entanto, Cody não conseguia evitá-lo: na sala de aula, ele se sentava bem na frente dela.

Algum tempo depois, o pai dela chegou para levar Tana à escola. Cody o cumprimentou com um beijo e um abraço e o colocou a par do incêndio. Quando ela percebeu que já era hora de se aprontar para a escola, subiu correndo para pegar sua mochila, porém ainda com a cabeça cheia de perguntas. Como o fogo havia começado? O Homem Esqueleto ainda estaria vivo? Quem eram aquelas duas pessoas misteriosas que eles tinham visto na casa do Homem Esqueleto na noite anterior?

E onde estariam agora?

Ela parou com a atenção fixa na casa queimada do outro lado da rua. Ao dar uma rápida olhada na janela do segundo andar, percebeu que as cortinas chamuscadas permaneciam imóveis.

Mas ela descobriu algo mais, que a fez sentir calafrios.

Via-se nitidamente na vidraça da janela, desenhados com canetinha preta, sete bonecos-palito.

Capítulo 3

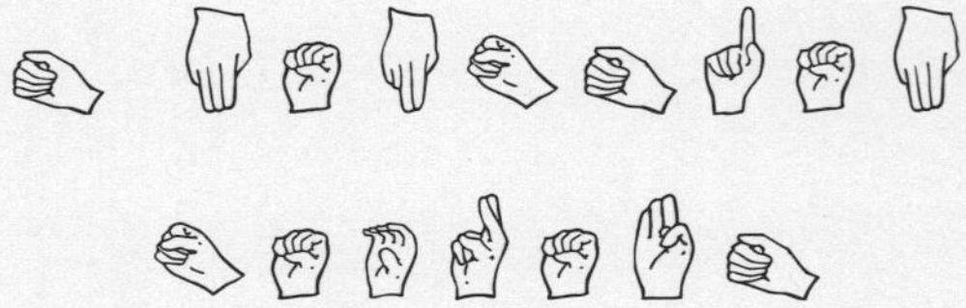

Cody ficou parada com a mochila na varanda da sua residência, ainda estarrecida com a visão da casa, do outro lado da rua, parcialmente destruída. Pela estrutura carbonizada, ela pôde ver que o fogo havia quase devastado o interior do imóvel. Alguns bombeiros ainda vasculhavam a área em busca de resíduos em combustão, e o ar estava impregnado com o cheiro de fumaça tóxica.

Até mesmo o jardim coberto por ervas daninhas havia queimado, deixando as bizarras esculturas metálicas de árvores e gatos do Homem Esqueleto sinistramente manchadas.

Cody teve um pensamento repentino: onde estaria Abobra?

Com o caos provocado pelo fogo, havia se esquecido totalmente do gato cor de laranja. Ela olhou pelo jardim chamuscado do Homem Esqueleto à procura de algum sinal de movimento. O velho homem possuía mais de uma dúzia de gatos – ela realmente os havia contado. Onde eles estariam agora? E onde estaria Abobra? O que poderia ter acontecido com eles?

Ela conferiu o relógio: 7h25. Não havia tempo de procurá-los antes da aula. M.E. – Maria-Elena, outra integrante do Clube dos Caçadores de Códigos – chegaria ali a qualquer momento. Cody bocejou. Tinha ficado em pé por quase duas horas e estava começando a sentir a falta de sono. Apenas alguns minutos antes que M.E. chegasse, ela foi ao seu esconderijo secreto no imenso freixo – o mesmo que Quinn havia escalado na noite anterior. Dentro de um buraco no tronco, no lugar secreto onde os outros membros dos Caçadores de Códigos sabiam que era para deixar mensagens para ela, Cody encontrou um bilhete dobrado.

Ela pegou a mensagem, que era do tamanho da palma de sua mão, endereçada ao codinome dela, analisando-a por fora. Um grande ponto cor de laranja, código para "Alerta Laranja", indicava o nível de importância: o segundo mais alto, atrás somente de "Alerta Vermelho". Cody abriu o envelope em estilo origami. O papel desbotado parecia ter cem anos, com borrões pretos e extremidades irregulares. Quase como se tivesse sido chamuscado num incêndio.

Ela lançou os olhos para a casa do Homem Esqueleto destruída pelo fogo e tremeu.

– Belo truque, Quinn – falou alto Cody, e, em seguida, olhou ao redor para ver se alguém como aqueles dois estranhos da noite passada, que haviam aparecido e desaparecido misteriosamente, a havia escutado.

Voltando a atenção para o bilhete, ela pensou: "Quinn fez parecer que é supermisterioso". O garoto era talentoso graças aos genes dos seus pais. Ele já havia criado jogos de computador para o clube, cheios de enigmas e códigos, como *Zumbis mutantes da cantina* e *Fuja da sala de tortura do diretor Grunt*. E era sempre divertido decifrar as suas mensagens codificadas. Embora Quinn fosse da turma dos tímidos, ele tinha muitas ideias criativas e era o líder extraoficial do clube.

Cody riu dos detalhes desse último bilhete. Era bem provável que o papel tivesse sido mergulhado em chá, depois amassado e escurecido nas extremidades com terra ou tinta para fazer parecer antigo de verdade. Isso fez com que se lembrasse de alguns documentos velhos que tinha visto durante um passeio com a escola ao Museu de Gold Country.

Antes do Divórcio.

Era como Cody via a vida atualmente. Antes e Depois do Divórcio.

Uma onda de saudade da casa antiga e dos velhos amigos tomou conta dela, deixando um buraco em seu estômago. Mudar-se para Berkeley havia sido uma grande mudança para ela, Depois do Divórcio. Ela se lembrava do dia em que sua mãe e seu pai a chamaram na sala e lhe contaram que iam viver separados. Cody mal tinha ouvido a parte em que haviam dito as "coisas reconfortantes" de praxe, como "Nós continuaremos sendo seus pais" e "Você não tem culpa disso". Blá-blá-blá.

Cody sacudiu as lembranças para longe e analisou as letras codificadas. Sabia que se o bilhete caísse em mãos erradas – como as de Matt, o Peste, que estava sempre xeretando – não seria fácil de decifrar. Essa era a razão pela qual todas as mensagens do clube eram escritas em código. Dessa maneira, seus segredos permaneceriam em sigilo.

Ela se recostou na árvore frondosa. Conferindo novamente o relógio, ela queria saber o que estava atrasando M.E. Teria ela também recebido um bilhete?

Ao abrir seu Caderno de Códigos e Casos com a chave, que sempre usava ao redor do pescoço, Cody procurou rapidamente por uma página em branco. Ela resolveu trabalhar na mensagem codificada de Quinn até que M.E. chegasse.

Lidando com os códigos como um problema matemático, logo Cody reconheceu um padrão naquela mensagem. Um sorriso tomou conta do seu rosto, criando covinhas em suas bochechas sardentas. "Moleza", pensou ela. Ele tinha a sequência do alfabeto como base. O Clube dos Caçadores de Códigos o chamou de ***Código ABC***.

"Aen bco cnt dro ese fde gdo hcl iub jea lpo mse nsc ool pas qet rec sha uve vsw xyz."

Com sua caneta vermelha, ela riscou a primeira letra de cada grupo de letras em sequência. Tirando o *a* ficou *en*, o *b* ficou *co*, o *c* ficou *nt*, e assim por diante. Quando terminou, examinou o bilhete cuidadosamente mais uma vez. Cody sabia que as últimas letras, *wxyz*, eram apenas sobras. Ela passou um risco sobre elas e analisou as letras restantes.

"en co nt ro se de do cl ub ea pó se sc ol as et ec ha ve s."

Ela reescreveu as letras, colocou os espaços e acrescentou a pontuação.

Confira em Respostas e Soluções dos Caçadores de Códigos, na p. 245.

Cody dobrou o bilhete de novo. Já sabia que Quinn havia planejado convocar uma reunião, mas haveria ele descoberto algo mais sobre o incêndio – ou sobre aquelas duas pessoas estranhas na casa do Homem Esqueleto?

Ela olhou para os desenhos esquisitos na janela do Homem Esqueleto. Virando para uma nova página, rapidamente ela os copiou para mostrá-los aos outros membros do clube. Eles pareciam bonecos-palito na vertical e em diferentes posições.

– Dakota Jones! – chamou a mãe dela da varanda da frente. – Vamos, ande! Você vai se atrasar para a escola de novo! – o pai dela estava quase pronto para sair, então ele poderia levar Tana, antes de ir para o escritório de advocacia onde trabalhava.

Assustada, Cody fechou o caderno e foi para a calçada. – Ainda estou esperando M.E. – respondeu ela. A mãe dela estava em pé, na porta da frente, com uma mão pendurada no cinturão de couro e a outra sobre o coldre do revólver. A irmã de Cody, Tana, estava do lado dela, uma cópia em miniatura da mãe. Ambas eram loiras, com olhos azuis e robustas. Cody havia herdado os genes do pai, Mike – o cabelo vermelho como fogo (motivo constante de piadinhas), olhos verdes e perfil atlético. E sardas.

Cody acenou para Tana, enquanto ela e o pai iam para o carro. A mãe delas caminhava em direção ao seu próprio carro.

Tana fez o sinal “Tchau, tchau” para Cody pela janela lateral do carro. Cody sinalizou de volta “Eu amo você”, usando os breves sinais da Libras combinados. Era o ritual de despedida matinal entre as duas.

– Vá para a escola – gritou a mãe da Cody. – E tenha cuidado – o aviso diário tinha se tornado o ritual de despedida da sua mãe.

Assim que todos partiram, Cody olhou para o outro lado da rua atentamente, na esperança de ver Abobra. Não parecia existir qualquer vida no jardim do Homem Esqueleto. Para onde teriam ido todos os gatos dele? E quem iria alimentá-los quando voltassem, agora que o Homem Esqueleto estava...

– Ei, Cody! – chamou uma voz bem alta.

Até que enfim! Cody viu M.E. – MariaElena Esperanto – correndo ao seu encontro, com o longo cabelo escuro balançando conforme ela andava. Cody deu uma risadinha irônica diante da calça brilhante, do *top* roxo jeca, das meias três-quartos com o desenho de uma esponja e das botas para caminhada pretas da amiga. M.E. sempre usava modelitos criativos. Ela morava com sua grande família na rua de cima – onde, na maioria das vezes, falava-se em espanhol – e havia conhecido Quinn e Luke num acampamento de verão chamado Criptologia para Crianças. Desde então, eles se tornaram grandes amigos.

M.E. ficou pasma diante da casa do outro lado da rua, ficando boquiaberta com a cena. – Ah, não! Eu ouvi sirenes e senti o cheiro de fumaça, mas meus pais não me deixaram sair para ver o que era. O que aconteceu com a casa do Homem Esqueleto?

– Pegou fogo de manhã, logo cedo – disse Cody. – Os paramédicos o levaram para o hospital numa ambulância.

– Uau. Ele está... bem? – perguntou M.E.

– Não sei. Tenho certeza de que minha mãe vai ficar sabendo.

Enquanto não desgrudava os olhos da casa consumida pelo fogo, M.E. girava a Pulseira de Código de Letras em volta do seu pulso cor de café com leite. Ela tinha esse hábito quando ficava nervosa ou preocupada. Cody usava uma pulseira idêntica. Elas haviam feito as pulseiras juntas – seguindo as instruções de um *site* da internet – enfiando contas com letras num fio elástico. Quando queriam enviar mensagens secretas entre si, anotavam os números num pedaço de papel usando a

Cifra de César – um disco decodificador –, na qual cada letra do alfabeto corresponde a um número. Depois, elas tinham de traduzir o código combinando os números às letras certas.

– Você recebeu uma mensagem secreta do Quinn? – quis saber Cody.

– Sim – falou M.E., saindo de seu estado de transe. – Sobre o que é? Alguma coisa a ver com o incêndio?

– Talvez mais – respondeu Cody. Assim que começaram a caminhada de cinco quarteirões até a Escola Cooperativa do Fundamental II de Berkeley, Cody colocou M.E. a par dos acontecimentos da última noite: as batidas em código Morse do Quinn, os misteriosos desenhos na janela do Homem Esqueleto, os dois estranhos e seu desaparecimento intrigante após o incêndio.

– Bizarro – disse M.E.

Cody olhou para a amiga, surpresa com seu comportamento contido. Em geral, M.E. era cheia de energia e costumava falar muito rápido e sem parar, às vezes misturando com o espanhol e deixando Cody completamente perdida.

– O que há de errado?

– Nada – respondeu M.E., suspirando. – Só estou um pouco desapontada. Quando ouvi as sirenes esta manhã, pensei que pudesse ser a escola pegando fogo. Não estou preparada para a prova de História de hoje. Mas não tive essa sorte.

"Talvez M.E. estivesse sem sorte, porém, com certeza, sem sorte mesmo estava o Homem Esqueleto", pensou Cody.

Ou teria o incêndio realmente sido apenas má sorte?

Capítulo 4

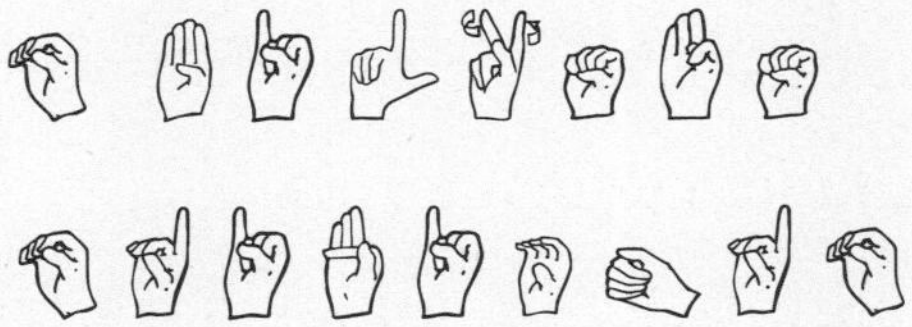

Cody e M.E. chegaram à escola bem a tempo do primeiro sinal. No segundo sinal, o "sinal dos atrasados", Cody estava em sua carteira atrás de Matt, o Peste, analisando os desenhos dos bonecos-palito, que havia copiado no Caderno de Códigos e Casos mais cedo naquela manhã. O primeiro tinha o braço direito aberto para o lado, o esquerdo estava voltado para o outro lado, em um ângulo de 45º. O segundo boneco apresentava o braço direito em ângulo voltado para cima, e o esquerdo sobre o peito, voltado para o mesmo lado. O braço direito do terceiro boneco apontava para cima em ângulo, e o esquerdo em diagonal, voltado para a direita também. O quarto e o sétimo bonecos estavam na mesma posição que o segundo. E o quinto e o sexto bonecos eram iguais, com os braços esquerdo e direito abertos para cada lado, de forma reta.

O que significavam aquelas figuras? Estaria o Homem Esqueleto enviando algum tipo de mensagem? Por que tinham tentado limpá-las da vidraça?

E o que havia de errado com aquelas duas pessoas sinistras?

– Dakota Jones?

Conforme balançava a cabeça em sinal de irritação, a espessa cabeleira castanha da professora foi ficando alvoroçada. Na maior parte do tempo,

Stad era uma professora muito bacana, embora sempre usasse com seus modelitos um colete temático ridículo. O colete de hoje trazia maçãs, réguas e lousas em miniatura, tema típico de professor.

– Hã, aqui! – falou Cody um pouco alto demais, levantando a mão. Todo mundo da classe se virou para ela e caiu na risada. Cody sentiu o seu rosto ficar vermelho, certa de que estava queimando como uma bola de fogo sardenta.

Com seu rabo de cavalo balançando e lhe fazendo cócegas nas costas, ela se encolheu toda na carteira e olhou para fora da janela. Tão logo a professora terminou a chamada, Cody voltou a sonhar acordada com os bonecos-palito, matutando sobre as posições dos braços, mas, quando começou a lição de vocabulário de Stad, Cody voltou a se ligar na tarefa da aula.

Ela não se preocupava com a escola. Isso porque encarava cada matéria como um enigma a ser resolvido. Para ela, ortografia não era mais do que letras codificadas, e Matemática nada além de números codificados. Até mesmo a disciplina de História era repleta de mistérios a serem desvendados: esfinges enigmáticas, civilizações perdidas e estranhos desaparecimentos de dinossauros. Contudo, nunca permitiu que as outras crianças soubessem que ela gostava da escola. Não era legal.

– Ei, idiota – disse Matt, o Peste, se torcendo na cadeira. Matt era um aspirante a *skatista* e usava os modelitos que estivessem de acordo. O problema era que ele não sabia como andar de *skate*. Hoje, ele estava com uma camiseta de caveira, calça *jeans* larga e enormes sapatênis multicoloridos sem cadarço. O hálito dele fedia a pasta de amendoim – ele estava sempre comendo a porcaria direto de um pote que trazia na mochila. Ele teria belos olhos, caso não os usasse sempre para bisbilhotar as pessoas.

Quando Cody não respondeu, Matt olhou para a prova de vocabulário dela.

– Escrevendo mais uma de suas mensagens *secretas*? – perguntou ele.

Cody logo aprendeu que Matt não passava de um provocador valentão. Ele adorava atormentar as crianças novas da escola. Havia repetido o ano, o que o tornava maior do que os outros alunos do 7º ano. Às vezes, ela o pegava olhando pela janela e ficava se perguntando para onde a imaginação dele o teria levado. Cody sentia pena dele, pois sabia quanto devia ter sido duro para ele ver seus amigos indo embora. Mas ele estava sempre ali, diante dela, com aquele hálito de pasta de amendoim. E sempre xeretando a Sede dos Caçadores de Códigos e deles debochando. A mãe dela havia dito que o comportamento de Matt estava relacionado à sua vida em casa, contudo, desde que ele se sentara à frente de Cody na sala de aula, graças aos seus sobrenomes, Jeffreys e Jones, Cody estava tendo de lidar com a vida escolar dele.

Antes que conseguisse pegar a prova, Matt rabiscou um monstro horroroso em cima das palavras do vocabulário dela. Ele não era tão ruim em se tratando de desenhar monstros, porém Cody não gostava nada quando ele estragava o seu trabalho. Ela puxou a prova de repente, fazendo, nesse instante, um buraco bem no meio dela. "Que ótimo", pensou ela. "Agora, vou ter de copiar, de novo, a prova inteira." Recostado de lado na cadeira e com uma das pernas erguidas, Matt riu com sarcasmo.

"Ah, não, não, não. O Silencioso, porém Mortal."

O cheiro quase derrubou Cody da carteira. Ela tentou abaná-lo para longe. Prendeu a respiração para se concentrar em reescrever a lista de vocabulário, mas era quase impossível. O dia na escola mal tinha começado, e ela já sentia como se nunca fosse acabar.

No meio do primeiro período, Lyla, a garota que se sentava atrás de Cody, deu um tapinha nas costas dela. Quando se virou, Lyla lhe entregou um bilhete dobrado. Deslizando o braço sobre o peito e a mão por trás das costas, ela pegou a mensagem dobrada e, em seguida, enfiou-a debaixo da lição de casa de Matemática.

– Dakota Jones! Isso é um bilhete? – Cody olhou para o alto e viu Stad de cara feia para ela.

Ela ficou paralisada.

– Te peguei!

– Não, Sta... Hã, senhora Stadelhofer. Eu... estava só revisando a minha lição de casa de Matemática. Quer ver? – Cody ergueu a folha de lição de casa com uma das mãos, encobrindo o bilhete com a outra.

– Bem, guarde isso. Ainda não é hora da aula de Matemática – argumentou a senhora Stadelhofer, antes de prosseguir com a aula. Matt, o Peste, se virou dando aquela risada sádica.

– Matthew Jeffreys, olhe para a frente, ou já para a sala do diretor – ameaçou a senhora Stadelhofer. Antes de se virar, pelo canto da boca, Matt mostrou a língua para Cody.

Cody deu um suspiro.

Discreto.

Quando teve certeza de que Stad não estava mais olhando, ela abriu o bilhete sem fazer barulho. Estava escrito na Cifra de César, decifrável somente com o disco decodificador correspondente.

12-16-2 3-4-11-18-4 3-4 15-4 4-12-1-2-12-8-9--16-9 12-2 15-16-7-8-9-2 3-16 5-16-12-3-4-11-9-16 3-4-23-2-11-7 3-16 4-7-1-2-13-16
15.4.

Ela conferiu o relógio mais uma vez. Havia pouco tempo para decifrar o bilhete antes que o sinal batesse. Tirando o seu disco decodificador do bolso da mochila, ela deslizou o mostrador em torno de cada um dos números e, depressa, anotou embaixo as letras correspondentes. Foram somente alguns segundos para traduzir o código.

Confira em Respostas e Soluções dos Caçadores de Códigos, nas pp. 243 e 245.

O sinal tocou.

– Vooocê está en-cren-ca-da – disse Matt, o Peste, com uma voz monótona, enquanto ria escancaradamente com ironia. Ele ficou de pé, impedindo a passagem dela pelo corredor com o próprio corpanzil.

– Não, não estou – Cody ergueu a mochila, depois se virou empurrando Matt do caminho.

A senhora Stad olhou do alto da pilha de provas de ortografia sobre a mesa dela. Ela viu Cody. Antes que Cody pudesse escapar, a sala foi tomada pelo conhecido som estático do alto-falante. Era a voz extremamente grave do diretor Grunt.

– Atenção, alunos! Aqui quem fala é o diretor Grunt. Não quero assustá-los, mas recebemos do Departamento de Polícia de Berkeley o aviso de que foi visto um leão da montanha nas colinas perto do *campus*.

Muitos alunos perderam o fôlego.

– Não é preciso entrar em pânico, porém fiquem alertas e longe das colinas até obtermos mais informações. Obrigado e tenham uma tarde agradável. Vai, Eagles[2].

Cody revirou os olhos. "Era tudo o que eu mais precisava", ela pensou. "Primeiro, um incêndio. Depois, Matt, o Peste. E, agora, um leão da montanha à solta."

Seria possível ficar ainda pior?

O resto do dia passou tão devagar quanto o primeiro período. Quando o último sinal tocou, no final da aula, Cody correu para se encontrar com M.E. no mastro da bandeira, o ponto de encontro de costume das duas. A amiga parecia tão animada e tão radiante quanto estivera naquela manhã.

– Achei que o dia nunca fosse terminar – falou Cody para M.E., enquanto examinava

---

[2] N.T.: Eagles é um time de futebol americano da cidade da Filadélfia, na Pensilvânia, EUA.

cuidadosamente a multidão de alunos saindo da escola. Não havia qualquer sinal de Matt, o Peste, mas isso não significava que ele não estava por perto. Provavelmente, espiando Cody e tramando a próxima travessura.

– Totalmente – falou M.E.

Cody olhou ao redor. – Cuidado. Eu posso ter sido seguida – cochichou ela, enquanto saíam do *campus*.

Os olhos escuros de M.E. brilharam. – Matt, o Peste?

Cody confirmou com a cabeça.

– Ele gosta de você, você sabe. É por isso que ele está sempre te atazanando – M.E. olhou para ela meio de lado.

– Como você sabe? – Cody fez cara de nojo.

– Eu vi num programa na TV. Um garoto estava sempre perturbando uma garota, e ela não conseguia suportá-lo. Mas, aí, ela descobriu que ele gostava dela de verdade e, então, passou a ser mais gentil com ele, e ele parou de aborrecê-la.

Cody ouviu pela metade, enquanto olhava em volta, tentando ver ao menos um relance do boné dos mutantes super-heróis ou da camiseta decorada com uma caveira do Matt. Não havia como Matt gostar dela, não da maneira como ele agia. Pelo menos, Cody esperava que não.

– Então, talvez, você devesse convidá-lo para sair! – disse M.E., dando uma risadinha.

– Cala a boca! – fuzilou-a Cody com os olhos, depois conferiu o relógio. – Vamos lá. Precisamos chegar à sede do clube antes que ele nos siga.

As duas garotas saíram em disparada até o final do quarteirão. Mal começaram a subir a colina em direção à floresta de eucaliptos e, de repente, M.E. parou e agarrou o braço de Cody.

– E o leão da montanha? – perguntou ela com os olhos arregalados. – O sr. Grunt falou que ele estava nestas colinas.

– Não se preocupe – disse Cody. – Havia dúzias de leões da montanha onde eu morava. Em geral, eles caçam à noite, não durante o dia. Minha professora falou que se você der de cara com um deles, não deve correr. Só faça algum barulho. E tente parecer maior do que é.

M.E. ficou olhando fixamente para Cody, que era, no mínimo, 15 cm mais alta do que ela. – Ah, sim? Como você espera que eu pareça maior?

Cody deu uma risadinha, em seguida balançou os braços para cima e para baixo. – Balance os braços deste jeito. Vamos lá. Nós estaremos seguras na sede.

Assim que as palavras saíram da sua boca, Cody ouviu uns estalos vindos de um arbusto próximo.

Ela olhou para M.E. para saber se ela também tinha ouvido.

M.E. estava dura feito uma estátua, com os olhos tão arregalados quanto a boca. – O que foi isso? – sussurrou ela.

– Não sei, mas vamos cair fora daqui!

Apesar de tudo que Cody disse, elas saíram correndo.

Capítulo 5

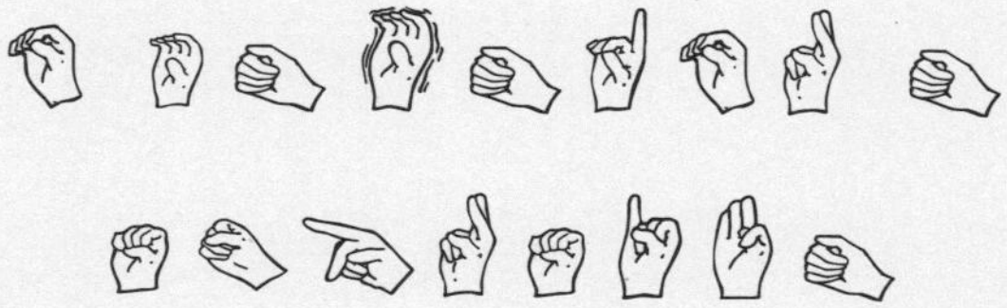

Quando as garotas chegaram à sede do clube, estavam sem ar e com o coração batendo aceleradamente como um gato assustado.

– Nós conseguimos! – comemorou M.E., ofegante.

Cody ficou esbaforida com a árdua corrida morro acima, numa distância equivalente à extensão de cerca de dois campos de futebol. – Nenhum sinal do leão da montanha – disse ela quase sem fôlego, dando uma olhada para trás para se certificar. – Mas havia algo naqueles arbustos.

A sede do clube ficava escondida no meio de uma floresta de eucaliptos. Cody adorava aquele lugar, onde a cidade parecia estar a quilômetros de distância. Aquela tranquila encosta coberta de árvores a fazia se lembrar de sua casa em Gold Country. Tinha o mesmo cheiro da pomada que a mãe dela costumava espalhar em seu peito, quando pegava um resfriado. Eucalipto.

Os garotos, Quinn e Luke, tinham começado a construir a sede havia um ano, utilizando placas de anúncio como paredes escoradas e amarradas com corda entre quatro árvores. Quinn havia projetado a estrutura, enquanto Luke, musculoso pela prática de esportes radicais, ficou responsável pela maioria do trabalho pesado. Pedaço por pedaço, eles fizeram a sede do clube com materiais que encontraram descartados pela cidade. Cobriram a parte de cima com um velho paraquedas camuflado e pintaram as paredes externas de verde e de marrom, para que se confundissem com a paisagem dos arredores. Seria quase invisível aos olhos de alguém que passasse pela floresta. O chão de terra foi coberto por uma placa de metal, que encontraram abandonada no terreno de uma construção.

Logo que foi construída, eles a trancaram com uma corrente e um cadeado de combinação. Depois de recrutar M.E. e, em seguida, Cody, eles mudaram o Clube dos Caçadores de Códigos para lá e encheram o lugar de acessórios de espionagem de segunda mão, cadernos secretos e comida pronta para o caso de alguma emergência.

Quinn, um fanático militar, trouxe uns binóculos de visão noturna legais, que havia encontrado num brechó de garagem, além de uma máquina quebradora de códigos danificada (faltavam três chaves). Influenciado pelo passatempo predileto da avó, as palavras cruzadas, Luke contribuiu com diversos livros de códigos, que tinha descoberto no sótão dela, inclusive um que trazia os códigos da Guerra Civil norte-americana e outro sobre os falantes do código Navajo.

M.E. tinha feito Pulseiras de Código para todo mundo, no entanto apenas ela e Cody as usavam. Os garotos as carregavam dentro do bolso. E Cody trouxe quatro coletes multibolsos que havia encontrado. Eles tinham lugar para guardar mensagens secretas, cadernos e outras coisas confidenciais. M.E. os havia enfeitado com as iniciais do clube na Libras: .

Eles mantinham sua importante coleção – junto com lanternas, bússolas, livros sobre a Libras e outros objetos de valor do clube – escondida num buraco, que cavaram no chão, e coberta com a placa de metal.

Cody girou o cadeado de combinação para o primeiro número e gelou.

– Shhh! – sibilou ela para M.E. – Ouvi algo!

M.E. agarrou a mão de Cody. – O que será? – cochichou ela.

Cody fixou o olhar na densa floresta atrás dela. Enquanto o dia era claro e cheio de vida, a floresta estava sempre repleta de sombras escuras. – Acho que tem alguém... ou alguma coisa... aqui fora.

– Você acha que o Matt nos seguiu? – indagou M.E., se aproximando de Cody, sem tirar os olhos das altas árvores perfumadas.

Cody não respondeu. Em vez disso, terminou de abrir o cadeado de combinação, removeu-o e tentou abrir a porta com um empurrão. Não deu certo. Alguém a havia trancado por dentro. Ela começou a esmurrar a porta da sede e, de repente, parou. Tinha se esquecido de dar a batida secreta, suas iniciais em código Morse. Ao perceber isso, respirou fundo e deu as batidinhas do código:

Uma batida, uma pausa, duas batidas rápidas, uma pausa dupla, uma batida rápida, uma batida, uma pausa, uma batida, uma pausa, uma batida.

-.. .---

Confira em Respostas e Soluções dos Caçadores de Códigos, nas pp. 242 e 245.

Em seguida, ela sussurrou a senha secreta do dia pelo olho mágico na porta de madeira compensada: – ***Ariefatrauq.***

A senha mudava a cada dia da semana, tornando difícil aos bisbilhoteiros forjar a entrada. Contudo, para os Caçadores de Códigos era fácil de lembrar. Bastava saber o dia da semana – e como pronunciá-lo de trás para a frente. Hoje era quarta-feira, então a senha era: ***ariefatrauq***.

Cody ouviu a barra de metal pesada raspando contra o lado de dentro da porta, à medida que era erguida. A porta abriu de repente, revelando Quinn com seus óculos de sol de metal polido estilo aviador, que ele havia comprado na internet.

– Corre! – M.E. gritou estridentemente, empurrando Cody para a frente. Enquanto isso, Quinn agarrou Cody pelo braço e a puxou pela estreita abertura, fazendo, em seguida, o mesmo com M.E.

– O que há de errado? Vocês foram seguidas? – perguntou Quinn, dando uma espiada no lado de fora.

– Feche a porta! – ordenou M.E.

Mas, antes que Quinn pudesse fechá-la, uma voz berrou da colina lá embaixo. – Pera aí, mano!

Cody suspirou aliviada. – Ainda bem! É apenas o Luke – ela sorriu, se jogando no chão e esfregando as pernas cansadas, enquanto emergia das sombras o quarto e último membro do Clube dos Caçadores de Códigos.

Quando Luke chegou à sede, Quinn abriu mais a porta para que ele conseguisse entrar. Por ser o mais alto, Luke precisou se abaixar para entrar, derrubando seu boné do Saints de Nova Orleans. Ele fechou a porta atrás dele, sentou-se na barra de metal, olhou para Cody e deu um sorrisinho acanhado.

Cody sentiu seu rosto corando e torceu para que os outros não percebessem. Nunca havia admitido isso para alguém, mas ela sentia uma queda por Luke, com seu cabelo preto encaracolado, pele cor de café, olhos castanho-escuros e ombros supermusculosos. Ela também admirava o fato de que, embora parecesse destemido, perto dela ele agia com certa timidez. Cody adorava o modo como ele pronunciava determinadas palavras com seu sotaque do sul. Ele tinha nascido na Luisiânia. Porém, os pais dele haviam morrido na inundação após o furacão Katrina, e ele e a avó, que ele chamava de *grand-mère*, acabaram indo morar juntos em Berkeley.

– Desculpem pelo atraso – disse Luke, colocando o surrado *skate* decorado com adesivos no chão e arrumando o boné. – Ouvi um barulho nos arbustos e fui ver o que era. Pensei que pudesse ser o leão da montanha que o diretor comentou com a gente. Mas não vi nada.

– Você não foi *procurar* o leão da montanha de verdade, foi? – indagou Cody. – Isso é pura maluquice. E se realmente fosse o leão?

Luke e os demais se juntaram a Cody, sentando-se de pernas cruzadas no piso de metal. Na aconchegante sede do clube, havia espaço suficiente para abrigar todos eles com conforto.

– Eu tomei cuidado – respondeu Luke, encolhendo os ombros.

Cody balançou a cabeça.

– E aí, Quinn? – perguntou M.E., pegando o bilhete que tinha recebido dele naquela manhã. – Sua mensagem era Código Laranja.

Quinn tirou os óculos de sol e olhou para cada um deles antes de falar, aumentando o suspense. Respirou fundo e começou.

– Pois bem. Sabem o incêndio na casa do Homem Esqueleto?

– Sim – respondeu M.E., Luke e Cody fizeram que sim com a cabeça.

– Na noite passada – prosseguiu Quinn –, antes do incêndio, Cody e eu vimos duas pessoas esquisitas na casa dele – ele contou a história sobre as atividades misteriosas que ele e Cody haviam testemunhado na noite anterior: os desenhos na janela, o rosto atrás da cortina, os dois estranhos conversando na varanda, o resgate do Homem Esqueleto e o súbito sumiço do homem e da mulher após o incêndio.

– Bizarro – afirmou M.E., esfregando os pelos arrepiados no braço. – O Homem Esqueleto me deixa inteira arrepiada e agora ele arranjou mais dois amigos sinistros?

– Ele também me dá arrepios – contou Quinn. – E eu sou vizinho dele. Uma vez, quando eu estava no quintal, ele começou a gritar comigo da janela dele. Não consegui entender uma palavra do que ele dizia. Ele está sempre espiando a gente.

– Além disso, já ouvi dizer que a casa dele é mal-assombrada – acrescentou M.E. – E essa pessoa que eu conheço contou que, quando os gatos dele morrem, ele os enterra no jardim.

Cody balançou a cabeça diante dos tolos rumores. – Não acredito em casas mal-assombradas nem em cemitérios de gatos ou fantasmas. Além disso, ele cuida bem dos bichos. Eu já o vi alimentando os gatos e trabalhando nas esculturas do jardim. Ele só é velho. Sinto pena dele.

– Não sei nada sobre a casa dele ser mal-assombrada – Quinn prosseguiu –, mas acho que aqueles dois esquisitos tramavam alguma coisa. Cody e eu ouvimos, às escondidas, eles falarem a respeito de um tesouro.

– Tesouro? – Luke parou de admirar os próprios sapatênis. Seus olhos escuros brilharam.

Quinn deu de ombros. – Sim, mas, aí, de repente, a casa pega fogo e...

– Você acha que aqueles dois é que começaram o incêndio? – interrompeu M.E., com os olhos arregalados.

– Não há provas – afirmou Quinn. – Mas, sem dúvida, eles estavam bisbilhotando. Talvez estivessem procurando um tesouro. Ouvi dizer que o Homem Esqueleto costumava trabalhar em garimpo de ouro.

– Uau! – exclamou Luke. – Você acredita que exista ouro escondido na propriedade dele?

– E gatos mortos? – acrescentou M.E.

Quinn encolheu os ombros. – Muito engraçado, M.E. – ele olhou para os demais com uma das sobrancelhas erguida.

– Talvez nós devêssemos sair para descobrir – propôs Cody.

Antes que alguém pudesse dizer mais alguma coisa, um forte estrondo fez uma das paredes da sede tremer.

– Leão da montanha – berrou M.E., agarrando e abraçando Cody com força.

Luke deu um pulo e foi espiar pelo olho mágico da porta, enquanto os outros se sentaram em seus lugares, petrificados. Cody podia ouvir a batida do seu coração pela camiseta e ficava imaginando se mais alguém também conseguia ouvir.

Após alguns tensos instantes, Luke disse baixinho: – Não vejo nada.

– Bem, algo bateu na parede – observou M.E. – Ou foi isso, ou a sede do clube também é mal-assombrada.

Luke destrancou a porta e abriu uma fresta. Ele botou a cabeça para fora, deu uma olhada e, em seguida, saiu à procura de algum sinal de movimento.

Cody pensou: "Ele é tão corajoso". Ela levantou e o acompanhou até a porta, mas ficou lá dentro.

Indo em direção à encosta, Luke gritou: – Acho que vi alguma coisa...

Ele estava em silêncio há tanto tempo que Cody finalmente perguntou: – É o leão da montanha?

– Acho que não. A não ser que ele esteja usando uma camiseta. Quem quer que fosse, sumiu por entre as árvores.

"Provavelmente, Matt, o Peste", Cody pensou, saindo da sede. Quinn se levantou, colocou os óculos de sol e a seguiu. Depois, veio M.E. hesitante.

– Vamos sair daqui! – falou M.E. com a voz trêmula. Cody podia ver como sua amiga estava apavorada.

– É mais seguro ficar dentro da sede – alertou Quinn. – Fiquem aqui. Eu vou dar uma olhada lá fora com o Luke – Cody e M.E. ficaram espremidas na entrada.

Luke tinha sumido de vista atrás da sede. Cody esperou, quase sem fôlego, apertando a mão de M.E. Pouco depois, ela ouviu Luke gritar dos fundos da sede: – Agora vocês podem sair.

Cody e M.E. seguiram Quinn para chegar aos fundos da sede, onde encontraram Luke segurando uma pedra arredondada, do tamanho de uma bola de softbol.

– Bem, não foi nenhum leão da montanha. A não ser que leões da montanha sejam capazes de atirar pedras.

Cody olhou para a parede da sede e viu um amassado na lateral.

Luke segurou a pedra para que os demais pudessem vê-la. Ela estava embrulhada num pedaço de papel amarrado com um elástico.

Ele tirou o elástico e desembrulhou o papel. Letras de diversos tamanhos, extraídas de revistas e jornais, haviam sido coladas no papel. Luke leu o bilhete em voz alta.

FIQUEM LONGE DA MINHA
CASA
HOMEM ESQUELLETO

Cody pegou o bilhete de Luke, deu uma examinada e uma risadinha.

– É tão malfeito. Quem fez isto, escreveu Esqueleto errado. E, além do mais, de qualquer forma, como o Homem Esqueleto poderia ter escrito isto? Ele está no hospital. É totalmente falso.

– Sim, mas, quem quer que seja, obviamente sabe o apelido dele – acrescentou Luke. – Alguém quer nos assustar, para que fiquemos longe dele.

– Mas por quê? – perguntou Cody.

– E quem mais conhecia o apelido dele? – indagou M.E.

– Um monte de gente na vizinhança conhece, e os nossos pais sabem que nós o chamamos assim – afirmou Quinn. – Mas está rolando alguma coisa. E eu acho que nós deveríamos ir até lá descobrir.

Capítulo 6

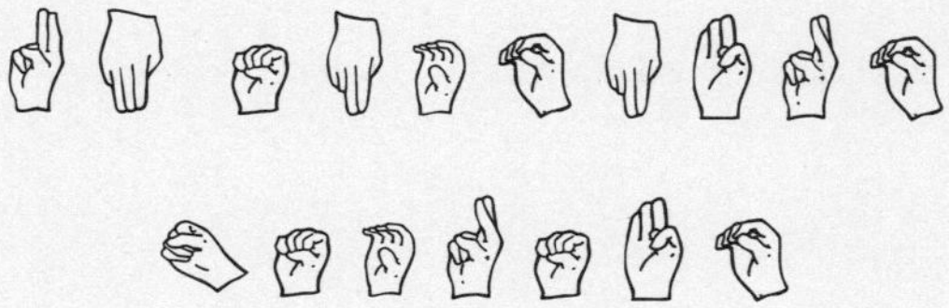

Após o jantar com sua mãe e Tana, Cody saiu para procurar novamente, no jardim da frente, seu gato adotado. Ela olhou alguns arbustos e atrás do pé de freixo, depois chamou em direção ao outro lado da rua:

– Abobra! Aqui, gatinho, gatinho! – ainda nenhum sinal do gato malhado cor de laranja. Cody torcia para que ele (ou ela?) estivesse apenas se escondendo em algum lugar seguro e acabasse logo aparecendo.

Lembrando-se do plano de Quinn para se comunicar com os integrantes do clube, quando passou pelo pé de freixo, deu uma olhada dentro do buraco no tronco. Nada. Talvez Quinn tivesse lhe enviado uma mensagem de texto. Ela entrou e subiu as escadas para o quarto, para checar o telefone celular. Havia duas mensagens na espera. Ela se sentou na cama e as leu.

AÍ Vermelho.
BS na prova ORT.
VCG. FVMT.
PAP. (((A)))

O pai dela era muito engraçado tentando parecer legal quando mandava mensagens de texto para ela. Sempre a fazia rir.

Oi Pap.

OBGA.

TV+T.

(Vermelho)

Confira em Respostas e Soluções dos Caçadores de Códigos, na p. 246.

A próxima mensagem não era tão clara.

NCNTRNBBLTCS 1900H

Cody reconheceu o código de consoantes. Tratava-se de uma mensagem composta de palavras todas juntas, exceto as vogais. Quando leu pela primeira vez em voz alta, pareceu sem pé nem cabeça. Porém, depois de repetir as sílabas algumas vezes, Cody começou a ouvir sons conhecidos. Ela anotou suas principais suposições no Caderno de Códigos e Casos. "NCNTR" virou "encontro", "N" tinha de ser "na", e assim por diante.

Confira em Respostas e Soluções dos Caçadores de Códigos, na p. 246.

Como de costume, Quinn havia utilizado o código de tempo militar para o horário do encontro. Mil e novecentas horas significavam 7h da noite.

Cody olhou o relógio. Só faltavam quinze minutos!

Ela correu para responder a mensagem:

PSS R CM VC?

Passados alguns segundos, de repente, apareceu uma letra: **S**.

Desde que as noites de setembro começaram a ficar mais frias, Cody colocou o *short* e a camiseta regata de lado. Ela revirou o quarto à procura de algo para vestir, mas as pilhas de roupas espalhadas pela cama e pelo chão não ajudavam. Depois de mergulhar nas roupas, acabou encontrando sua calça *jeans* predileta e o moletom vermelho, vestiu-os rapidinho e apanhou a mochila. Desceu as escadas para pedir permissão à sua mãe.

Claro que Cody não podia contar para a mãe o verdadeiro motivo pelo qual queria ir à biblioteca: encontrar com o Clube dos Caçadores de Códigos e traçar planos para procurar o tesouro do Homem Esqueleto. Se é que havia algum. Ela precisava arranjar uma boa desculpa para sair à noite em plena véspera de aula. Como sempre, encontrou a mãe no confortável sofá, assistindo a mais uma reprise do seriado policial. Ela estava usando o blusão de moletom azul, cabelo trançado e comendo palitinhos de cenoura mergulhados em *homus*. "Como ela consegue comer aquele troço?", pensou Cody. A mãe dela tinha realmente se tornado *Berzerkley* desde que elas se mudaram para lá.

– Mãe, preciso ir à biblioteca. Só por uma hora, tudo bem? – Cody tentou parecer despreocupada.

– É véspera de aula – respondeu a mãe, erguendo os olhos para Cody. – Você tem lição de casa.

– Estou trabalhando num projeto com o Quinn – ela não estava propriamente mentindo. Só não estava entrando em detalhes.

Sua mãe deu uma olhada no relógio. – Já são quase sete.

– Estarei em casa às oito. Prometo.

– Tá bem, mas eu não posso levá-la. Tana já está dormindo, e você não pode ir a pé até lá a essa hora da noite.

– A mãe do Quinn vai levar. Daqui a pouco, eles vão passar aqui para me pegar.

A mãe de Cody suspirou, frustrada. – Tudo bem, mas leve o seu celular e me ligue quando chegar lá. E quando você sair da biblioteca.

Como policial, a mãe dela tinha visto muita coisa ruim no trabalho, no entanto Cody gostaria que ela relaxasse um pouco mais. Cody era capaz de cuidar de si mesma. Ela havia aprendido Depois do Divórcio. Conferindo para ter certeza de que o Caderno de Códigos e Casos estava na mochila, ela ficou em pé junto à janela da frente, observando o carro de Quinn sair da garagem.

Cody foi para a porta da frente. – Tchau, mãe! – gritou ela.

– Pegou sua lista de ortografia? – quis saber a mãe dela, olhando meio desconfiada.

– Tá bem aqui – Cody mostrou, dando um tapinha na mochila. – O Quinn vai me testar.

Na realidade, Cody não precisava ser testada. Aprender a soletrar era parecido com decifrar um código. Algumas palavras eram fonéticas, como "man-da-tá-rio" ou "sur-pre-en-der". Tudo o que tinha de fazer era pronunciar cada sílaba. Outras, dividia em duas palavras menores separadas, como "para-peito" ou "semi-final". Se a palavra apresentasse uma letra muda, ela a pronunciaria como se estivesse falando uma nova língua: "pe-neu" para "pneu" e "su-bi-ma-ri-no" para "submarino". E se fosse, de fato, uma palavra difícil, tal como "córtex", inventava um acrônimo para as letras: "Carol ouviu ruídos tenebrosos ecoando xis". Quase sempre conseguia cem por cento de acerto.

Só para garantir, ela deu uma olhada nas novas palavras – duas vezes – e, de novo, naquela noite mais tarde, quando já estava na cama. Mas, primeiro, havia a questão do dinheiro supostamente escondido na casa supostamente mal-assombrada onde vivia um homem supostamente maluco.

E aquele bilhete os avisando para se manterem afastados.

Capítulo 7

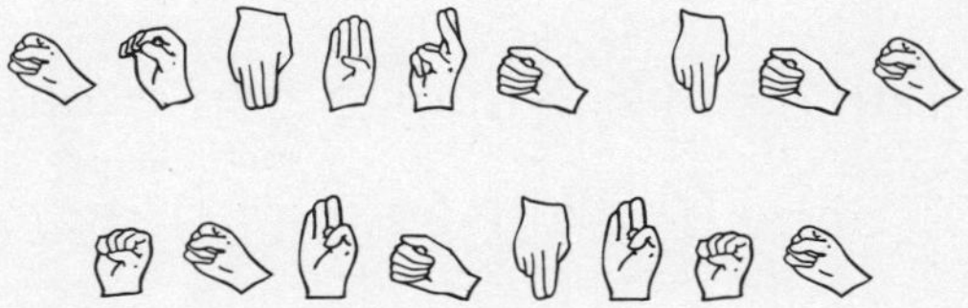

A filial da Biblioteca Comunitária de Berkeley do bairro parecia um castelo gótico, que reunia fantasmas e espíritos, em vez de livros e revistas. De acordo com uma placa nas pesadas portas da frente, a estrutura de três andares tinha mais de cem anos. Cody adorava o lugar, principalmente o labirinto de salas cheirando a mofo, as prateleiras abarrotadas e o monte de estantes escondidas espalhadas por todo o prédio.

Com frequência, os Caçadores de Códigos se reuniam na biblioteca depois da aula, para fazer a lição de casa e pesquisar códigos. Cada vez que se encontravam lá, era num ponto diferente. A primeira pessoa a chegar escreveu um código matemático, assinou como "Dewey" e o pregou no quadro de avisos. O resto dos Caçadores de Códigos tinha de decifrar o código, baseado no Sistema Decimal de Dewey, para definir o local da reunião. Assim que eles chegassem à resposta certa, saberiam para onde se dirigir.

Quinn foi à frente até o quadro de avisos e logo viu a mensagem. Ela dizia:

Questão Matemática do Dia: 5 X 5 + 6 X 6 + 9 X 9 + 400 – 37 = ???

Confira em Respostas e Soluções dos Caçadores de Códigos, na p. 246.

– Fácil – disse Quinn. – É no segundo andar.

Cody o acompanhou subindo as escadas e pelo labirinto de prateleiras até que eles chegaram ao corredor certo. No final do corredor, encontraram Luke numa pequena mesa lendo um exemplar da *Pé de Pateta*, a revista sobre *skate* favorita dele. Ele vivia falando em se tornar um *skatista* profissional – ou um dublê. Cody não tinha dúvida de que ele teria sucesso em qualquer uma das duas atividades. Luke era forte, atlético e destemido. Ele olhou para Cody e sorriu.

– Ei – disse ele, enrolando a revista. – Já não era sem tempo.

Cody sorriu de volta. Ela sentiu suas bochechas queimando.

Sem perceber a interação entre Cody e Luke, Quinn olhou rapidamente ao redor para se certificar de que a área estava livre de qualquer possível espião em potencial. Tão logo decidiu que a barra estava limpa, ele se jogou numa cadeira de madeira bem dura.

Cody escorregou para a cadeira perto de Quinn, de frente para Luke, e abriu a mochila. Ela tirou sua lista de palavras de ortografia com o Caderno de Códigos e Casos, imaginando que pudesse estudar um pouco antes da M.E. chegar e da reunião começar oficialmente. Contudo, antes que conseguisse olhar a primeira palavra da lista, a amiga surgiu em meio às estantes.

– Oi, gente – falou M.E., sentando-se perto de Luke. Ela tinha trocado seu modelito da escola por um macacão azul, um *top* elástico cor-de-rosa bordado com *strass* e chinelos de coelhinho cor-de-rosa. Não havia nada que M.E. não usasse, incluindo calça de pijama. Muitas vezes, Cody gostaria de ter coragem para se vestir igual a M.E., mas simplesmente aquele não era o seu estilo.

Antes de iniciar oficialmente a reunião, os Caçadores de Códigos deram o cumprimento secreto:

cada um colocava a palma da mão direita voltada para cima sobre o antebraço esquerdo: o sinal da Libras para "secreto".

– E aí, mano? – perguntou Luke a Quinn, aparentemente ansioso para que a reunião começasse.

"Um homem de ação", pensou Cody.

Quinn se inclinou e falou em voz baixa. – Bem, primeiro nós precisamos de um plano para encontrar o tesouro na casa do Homem Esqueleto.

– Como você sabe se realmente existe um tesouro lá? – indagou M.E., enrolando o seu longo cabelo preto para cima com um elástico. – Se ele é tão rico, por que não arrumou a casa dele, ou construiu uma piscina, ou comprou um carro de corrida, ou qualquer outra coisa?

– Porque ele é louco – afirmou Quinn, dando um tapinha na testa. – Por exemplo, ele tem todas aquelas estátuas bizarras no jardim. E cerca de uma centena de gatos.

Cody revirou os olhos para o boato de sempre em relação à suposta coleção de bichos do Homem Esqueleto. – Não, ele não tem. Já disse a vocês. Ele só tem *onze*. Eu os contei uma vez – ela pensou em Abobra e se conteve. Onde estaria o *seu* gato?

– Mas o que vai acontecer com eles depois da partida do Homem Esqueleto? – perguntou M.E.

O quarto de M.E. mais parecia um minizoológico. Ela tinha um passarinho, um porquinho-da-índia, um rato branco e uma tartaruga. Cody a invejava, porém, com as alergias de Tana, tudo o que ela podia ter era uma tartaruga.

– Minha mãe chamou a SPA – contou Quinn. – Eles vão vir pegar os gatos.

“Não o Abobra!”, pensou Cody. “Eles não podem levar meu gato embora!”

– O que é SPA? – quis saber Luke. – Algum tipo de código?

– Uma sigla, seu bobo – explicou M.E. – As letras significam Sociedade Protetora dos Animais.

Eles cuidam de gatos e cachorros doentes e abandonados.

– Que bacana – disse Luke. – Eu tinha um cão, lá em Nova Orleans... – ele se distraiu sem concluir a frase. Cody queria saber se o cachorro havia se perdido na inundação.

– Bem – interrompeu Quinn –, de volta ao plano. Sabem aqueles dois esquisitos que estavam na casa do Homem Esqueleto? Minha mãe conversou com eles e descobriu que são parentes dele. Pelo menos, foi o que disseram.

– Ela falou com eles? – perguntou Luke, levantando as sobrancelhas.

– Sim, quando ela os viu circulando por lá, depois do incêndio, e foi perguntar sobre o Homem Esqueleto.

– Espere aí. Aqueles dois estavam na casa *depois* do incêndio? – Cody não os tinha visto e pensava que haviam ido embora quando a casa estava em chamas. – O que mais eles disseram?

– Falaram para a minha mãe que ainda não sabiam nada sobre o estado do Homem Esqueleto – contou Quinn. – O que seria meio estranho para o caso de serem parentes. Mas, aí, eles mudaram de assunto e começaram a fazer um monte de perguntas para a minha mãe.

– Tipo o q... – disse Cody.

Antes que pudesse concluir a pergunta, percebeu, de relance, uma sombra se mexendo atrás das estantes de revista. Ela ergueu a mão, o sinal de mergulho subaquático para "pare!". Em seguida, fez os sinais referentes às letras "e-s-p-i-ã-o" e apontou na direção do movimento.

Alguém estava se escondendo entre as estantes e escutando a conversa.

Capítulo 8

Cody saiu devagarzinho da sua cadeira e, como um leão da montanha, dirigiu-se sorrateiramente até a estante de revistas. Depois de respirar fundo, ela apareceu no alto.

Uma mulher mais velha estava em pé, folheando um livro a respeito da arquitetura de Berkeley.

Ela suspirou aliviada. Sua imaginação estava trabalhando além da conta.

Após uma última olhada pelo local, Cody voltou à mesa. Ela fez sinal para que seus colegas falassem mais baixo.

– Então... o que sua mãe descobriu, Quinn? – murmurou M.E.

– Bem, a mulher grandona perguntou se minha mãe sabia alguma coisa sobre um testamento – contou Quinn.

M.E. piscou os olhos. – O que ela disse?

Quinn balançou a cabeça. – Ela respondeu que não sabia de nada, mas achou que se tratava de uma pergunta estranha para ser feita por parentes.

Luke se sentou. – Então, deve haver um testamento.

Cody concordou, mexendo a cabeça, em seguida deu uma olhada no relógio e rapidamente juntou suas coisas. – Preciso voltar, Quinn. Minha mãe vai me matar se eu me atrasar. Vamos encontrar a sua mãe.

– Espere, nós ainda nem bolamos um plano – disse Quinn. – Se o Luke estiver certo, se *existe* um testamento, talvez esteja escondido em algum lugar seguro na casa dele. Talvez também haja dinheiro vivo, ou algo valioso. Ele foi garimpeiro de ouro, lembra? Talvez ele tenha quilos de ouro enterrados no jardim, ou escondidos no sótão... ou no porão. Acho que é por isso que, de repente, apareceram aqueles dois bisbilhoteiros para encontrar o tesouro dele.

– É um tanto estranho que, de repente, a casa tenha pegado fogo, logo depois da chegada dos primos dele – acrescentou Luke, usando os dedos para sinalizar que a palavra *primos* estava entre aspas. – Eu acho que temos de investigar isso.

– Eu concordo – afirmou Quinn. – Vamos descobrir o que quer que seja, antes que aqueles sujeitos o façam!

M.E. fez cara feia. – Tipo, como nós vamos conseguir fazer isso? Não há nada que me faça ficar espionando uma casa queimada e mal-assombrada à noite. Em primeiro lugar, está escuro lá fora, portanto não encontraríamos nada sem alguma luz. Segundo, se eu for pega espiando lá fora, vou ficar confinada, de castigo, até eu me formar. E, terceiro, nós nem ao menos sabemos se *existe* algo a ser encontrado.

Quinn fez M.E. parar de falar e deu uma espiada para conferir se alguém tinha ouvido o discurso dela. Só para o caso de alguém ter escutado, ele pronunciou as palavras-chave como se estivesse falando grego. – Nag-ão esag-ta noiag-te. ag-maag-nhã.

Confira em Respostas e Soluções dos Caçadores de Códigos, na p. 246.

M.E. encolheu os ombros. – Mas, mesmo que a gente encontre alguma coisa, não é nossa. Então, de que adianta? Além disso, é perigoso. O telhado pode desabar em cima da gente. Podemos acabar soterrados pelos escombros. O fogo pode começar de novo.

Cody sabia que M.E. não era a garota mais corajosa do planeta. No entanto, ela tinha razão.

Na verdade, muitas razões. Eles precisavam ter certeza de que o lugar era seguro o suficiente para ser explorado, antes que entrassem nele para investigar.

– Não vai desabar – insistiu Quinn. – Ouvi o chefe do Corpo de Bombeiros dizer isso a um repórter de TV. Mas, mesmo que, de fato, desmorone, estaremos *todos* lá para ajudarmos uns aos outros. E não vai pegar fogo de novo, porque está tudo completamente encharcado de água.

Cody falou alto. – Suponho que, se encontrarmos alguma coisa, teremos de garantir que tal coisa retorne ao Homem Esqueleto e não para aqueles supostos parentes repugnantes dele.

– E nós poderíamos ganhar uma recompensa – acrescentou Luke. – Aí, conseguiríamos, de verdade, arrumar a sede do clube, comprar alguns *walkie-talkies*, alguns daqueles dispositivos de escuta...

M.E. ficou toda animada. – Já sei! Se encontrarmos o dinheiro, poderemos usá-lo para salvar os gatos dele. Poderemos construir um santuário para gatos.

– Ótima ideia – disse Cody, pensando em Abobra. Cody e M.E. comemoraram batendo as palmas das mãos entre si no estilo "Toca aqui".

De repente, o entusiasmo de M.E. se apagou. – Ainda assim, poderia ser perigoso. E aquele bilhete que encontramos nos mandando ficar longe da propriedade dele?

– Provavelmente, era de Matt, o Peste – afirmou Luke. – Aposto que ele nos seguiu até a sede e ficou escutando a nossa conversa. Tenho certeza de que foi a camiseta de caveira dele que eu vi entre as árvores. Ele só está tentando nos assustar.

Cody sorriu para Luke, em seguida para M.E. e Quinn. – Tudo bem, eu topo.

– Eu também – Luke estendeu a mão fechada.

M.E. deu de ombros e estendeu a mão junto à de Luke. Quinn e Cody acompanharam o gesto.

Cody conferiu o relógio novamente e se levantou. – Eu realmente tenho de ir, ou nunca mais vou poder sair de casa. Minha mãe vai me trancar e jogar a chave fora, sem chance de liberdade condicional, mesmo com o meu pai me defendendo. Então... a que horas amanhã? Depois da escola?

– Não, não, em plena luz do dia – respondeu Quinn. – Eu estava pensando em amanhã de manhã, 0-seiscentos. Não vai ter muita gente acordada nessa hora para nos ver. E teremos bastante tempo antes de a aula começar.

Enquanto a turma do Clube dos Caçadores de Códigos seguia em direção às escadas, Cody deu uma última olhada pelo local, lembrando-se daquela mulher lendo o livro sobre Berkeley, contudo não viu nada além de sombras. Ao empurrar a pesada porta da frente, Cody deu de cara com uma mulher corpulenta num vestido florido. O encontrão fez com que a mulher deixasse cair um monte de livros.

– Tenha cuidado, garota! – a mulher repreendeu Cody com aspereza. Ela virou e encarou o pequeno homem atrás dela com raiva. Bem depressa, ele se ajoelhou e apanhou os livros derrubados.

Cody estava prestes a se desculpar, quando Quinn agarrou o braço dela e a puxou para fora. Ela arrancou rápido o seu braço das mãos de Quinn.

– Por que você fez isso? Eu só ia me desculpar, embora, de fato, não fosse minha culpa.

– Aqueles eram eles – afirmou Quinn.

– Quem? – perguntou Cody.

– As duas pessoas que nós vimos xeretando a casa do Homem Esqueleto!

Capítulo 9

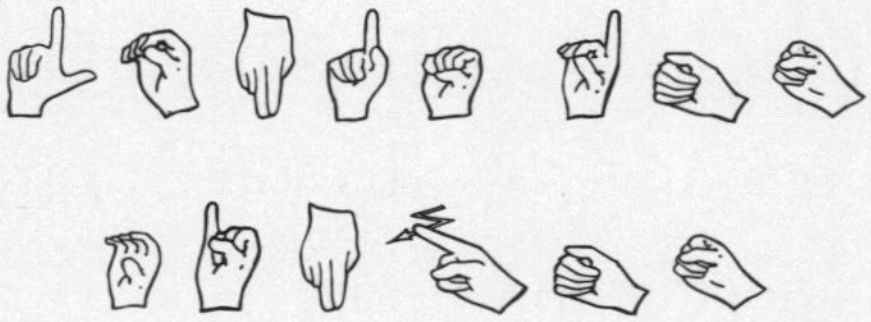

Quando o despertador tocou no horário militar de 0530 – 5h30 da manhã –, Cody acordou assustada. Ao tirar o edredom fofo que havia coberto a sua cabeça totalmente, ela estava quase sem ar.

Pouco antes, ela havia tido a nítida sensação de estar sendo sufocada por uma mulher corpulenta num vestido florido.

Deitada de costas, Cody deu uma olhada no despertador. Ela bateu no botão de soneca, interrompendo o mais recente sucesso da banda Acne: *Tudo fede*. Cinco e trinta? Ainda parecia o meio da noite. Na verdade, era aproximadamente o mesmo horário em que a casa do Homem Esqueleto havia pegado fogo na noite anterior.

Ela olhou para o teto. Os adesivos de estrelas que brilham no escuro estavam bastante reluzentes. Era cedo demais para ir para a escola. De fato, era cedo demais para qualquer coisa.

Antes de cair no sono novamente, seus olhos se arregalaram. Ela tinha quase esquecido! O despertador não tinha sido programado para a escola. Era para a reunião secreta dos Caçadores de Códigos. Eles tinham de se encontrar em frente à casa chamuscada do Homem Esqueleto às 0600 em ponto.

Ela tinha menos de meia hora para se aprontar.

Cody realizou seus rituais matinais de costume hipervelozmente. Faltando cinco minutos para as seis, estava vestida com sua calça *jeans* nova, camiseta regata amarela, sandália de dedo, moletom vermelho e com rabo de cavalo no cabelo. Embora houvesse um friozinho no ar das primeiras horas da manhã, iria esquentar lá pelo meio-dia. Perfeito para seu modelito de clima frio.

Segurando uma rosquinha de canela com uma das mãos e a mochila com a outra, Cody saiu de mansinho pela porta, fechando-a sem fazer barulho. Ela deixou um bilhete em cima da mesa da cozinha para que a mãe dela soubesse que iria se encontrar mais cedo com M.E., para que pudessem revisar as palavras de ortografia antes da prova. O que, até certo ponto, era verdade.

A rua estava sinistramente deserta na hora em que Cody a atravessou em direção à casa do Homem Esqueleto; o local era iluminado somente pelo poste de luz próximo dali. Pouco depois, apareceu Quinn vestindo uma camiseta com a frase

"A RELATIVIDADE É RELATIVA" e calça larga cáqui, acompanhado de Luke, que estava usando seu *short* de *skatista* de costume, camisa tamanho grande e tênis. Mais alguns minutos e chegou M.E. de meia-calça vermelha, saia tingida com a técnica *tie-dye*[3] e camiseta no estilo tatuagem, parecendo uma segunda pele.

– Ei – disse Luke, bocejando. M.E. suspirou alto.

– Quietos! – ralhou Quinn. Ele deu uma espiada rua acima e rua abaixo. – Não queremos ser pegos antes mesmo de começarmos.

Cody se virou para a casa destruída. Mesmo com a luz do raiar do dia, o lugar parecia aterrorizante. No quintal, as plantas estavam levemente queimadas. Quinn entrou e acenou para que os demais o acompanhassem. Uma vez no jardim, eles se agacharam atrás da cerca.

---

[3] N.T.: o *tie-dye* é uma técnica de tingimento feita com tecidos amarrados, torcidos, costurados ou dobrados, que se tornou mundialmente famosa com o movimento *hippie*, nos anos 1960 e 1970. Porém, trata-se de uma técnica artística milenar, muito utilizada, principalmente entre os povos asiáticos e africanos.

– Nós iremos pelos fundos, onde ninguém pode nos ver – cochichou Quinn.

Enquanto passava pela frente da casa, Cody avistou a fita de isolamento amarela e um aviso em que se lia: NÃO ULTRAPASSE! ENTRADA PROIBIDA! PERIGO! Ah, não. Provavelmente, estavam fazendo algo ilegal. Se a mãe dela descobrisse...

– Ninguém vai nos ver aqui – afirmou Quinn, à medida que o grupo se reunia na porta dos fundos da casa. O jardim estava repleto de esculturas de metal que impediam a visão da maioria dos vizinhos.

– Não tenho certeza de que esta seja uma boa ideia – comentou M.E., olhando, espantada, para a fuligem que havia grudado em seus sapatos. Cody percebeu que seus próprios dedos dos pés estavam pretos. Ir de sandália de dedo não tinha sido a melhor das ideias.

– Nós só vamos dar uma rápida olhada para ver se existe alguma coisa parecida com um cofre, ou um testamento, ou ouro – falou Quinn. – Em seguida, vamos cair fora daqui, combinado?

Os outros concordaram, acenando a cabeça. Quinn tentou a maçaneta da porta. Ela se desprendeu na mão dele. Luke se aproximou, segurou pelo buraco de onde saiu a maçaneta e deu um empurrão, abrindo a porta. Após tirar a fuligem das mãos, entrou. Quinn, Cody e M.E. o acompanharam até o interior da casa do velho homem.

Cody torceu o nariz diante do forte cheiro de madeira queimada. Ela examinou o interior da casa atentamente, com os olhos bem abertos e envolvidos por uma mistura de horror e surpresa. As paredes internas pareciam onduladas e brilhantes como uma cachoeira congelada. Tudo estava preto brilhante ou em tons de cinza. Parte da mobília havia derretido, enquanto outras peças eram simplesmente restos queimados como esqueletos. Ela caminhou com cuidado para evitar pedaços de vidro quebrado ao mesmo tempo em que tentava identificar objetos que ficaram pretos e pareciam surreais.

– Vamos nos dividir – propôs Quinn, conferindo seu relógio militar. – Assim ganharemos tempo. M.E., você olha o banheiro; Luke, a sala; e Cody, a cozinha. Eu vou procurar no quarto dos fundos.

Cody foi até a cozinha nas pontas dos pés, torcendo para que o chão não desabasse. Ela ficou impressionada com o espetáculo em preto reluzente. Embora restassem as paredes, o chão e o teto, eles estavam retorcidos e ondulados. Os utensílios domésticos haviam derretido, estavam cheios de bolhas e cobertos por uma crosta preta brilhante. Parecia que toda a cor do cômodo tinha sido sugada.

Depois de alguns minutos de busca nos armários destruídos pelo incêndio, Cody encontrou a porta de um dos armários intacta. Ela a abriu e se deparou com um monte de frascos de remédio não atingidos pelo fogo. "Uau", pensou Cody conforme corria os olhos rapidamente pelos rótulos nunca antes vistos. "O Homem Esqueleto deve ter andado doente." Ela tentou pronunciar o nome dos diversos medicamentos: Citi-alguma coisa, Tenecte-alguma coisa, Cere-alguma coisa. "Gostaria de saber o que havia de errado com ele", pensou ela.

Após ter certeza de que não tinha sobrado nada para se explorar na cozinha, Cody voltou ao corredor da frente e se encontrou com os demais membros do clube. Quinn tinha uma mancha preta na bochecha e também estava com as pontas dos dedos pretas. Luke tinha marcas de mão no *short* depois de limpar nele as próprias mãos cheias de fuligem. Os sapatênis preto e branco de M.E., agora, estavam totalmente pretos. Cody ia precisar esfregar os pés e o rosto e as mãos antes de ir para a escola. – Encontraram alguma coisa? – perguntou Quinn, limpando a testa e deixando nela um risco preto.

Cody fez que não com a cabeça.

– Nada – disse Luke.

– Eu também não – acrescentou M.E. – Acho melhor irmos embora – muito nervosa, ela deu uma olhada em volta. – Este lugar todo pode cair em cima da gente a qualquer minuto. Vi isso num filme uma vez – ela foi saindo em direção à porta dos fundos.

– Espere! – Quinn segurou o braço dela com a mão imunda.

– Não, Quinn – falou Cody. – M.E. tem razão. Aqui é muito perigoso. E não há qualquer sinal de dinheiro ou tesouro. Olhamos em todos os lugares, menos lá em cima, e não podemos subir lá, porque a escada foi danificada demais pelo...

Cody parou. Ao captar um movimento no canto do seu olho, ela se virou para ver Luke acenando para eles da entrada.

– Ei, vejam isso – Luke estava apontando para algo na parede.

Parecia ser um certificado emoldurado, chamuscado, mas não inteiramente queimado, e pendurado por um fino arame. Apesar de o vidro ter sido estilhaçado pelo calor intenso, a moldura estava intacta e balançava dependurada na parede. Dentro dela, o certificado estava bastante queimado, restando somente algumas poucas letras legíveis num canto não destruído pelo fogo.

Quinn leu as letras em voz alta.

– Parece ser... C I A...

– Mano – disse Luke, piscando muito rápido –, você acha que o Homem Esqueleto era um *espião* da CIA, a Agência Central de Inteligência?

Quinn analisou as letras. – Talvez. Ele estava sempre olhando pela janela e nos observando.

Cody apontou para um carimbo no certificado. – É uma espécie de emblema oficial – concluiu ela.

Quinn se esticou para alcançar a marca em relevo, porém, assim que seus dedos a tocaram, o papel se desintegrou e os pedaços se amontoaram no chão como neve preta.

– Droga – exclamou Quinn, franzindo o rosto.

Cody lançou os olhos sobre a moldura. – Ei... tem alguma coisa escondida atrás do papel. Parece... um pedaço de metal.

Ela se esticou para o alto e tentou puxar a moldura da parede, mas ela se dissolveu em suas mãos e os pedaços caíram no chão. Inclinando-se, Cody recuperou o objeto de metal, que estava solto. Ele era do tamanho de uma caixinha de balas de menta. Ela soprou o pó preto e passou os dedos, examinando a tampa lisa. Virou a caixinha ao contrário e notou que o lado de baixo estava mais áspero do que a tampa. Na tentativa de obter algum reflexo, ela a ergueu contra a luz fraca. Foi quando reparou nas marcas que havia deixado na parte de baixo da caixa.

Cody prendeu a respiração.

– Tem alguma coisa escrita aqui! – sua mão suja tinha deixado resíduos de cinzas nas saliências. Rapidamente, com sua outra mão, bateu forte sobre a superfície, tirando os resíduos e, ao mesmo tempo, preenchendo as minúsculas fissuras com as cinzas.

As palavras escurecidas saltaram diante dela.

– **TESTARÁ** você **O** dinheiro?

Não, não está **DENTRO**.

PERMANECE nas **CINZA**s.

Não é lugar para se esconder.

Cody sentiu uma onda de euforia. Definitivamente, tratava-se de algum tipo de mensagem. Do Homem Esqueleto?

– Tá certo, é simplesmente bizarro – falou M.E. em voz alta.

Quinn arregalou os olhos. – Eu *disse* que tinha alguma coisa valiosa escondida nesta casa. Essa é a *prova*.

M.E. olhou feio. – Quinn, isso não prova nada. Nem mesmo faz sentido. Se era para ser um poema, não tem nem rima. E, ainda que fôssemos capazes de descobrir o que isso significa, não prova que existe dinheiro ou um testamento escondido por aqui.

– Acho que o Quinn está certo – afirmou Cody. – Trata-se de algum tipo de código ou enigma.

– E nós temos de desvendá-lo – acrescentou Quinn. – Por exemplo, se o Homem Esqueleto trabalhava para a CIA, é bem provável que utilizasse uma porção de códigos. Ele não iria simplesmente *contar* para as pessoas onde procurar o tesouro dele.

– Não se parece com nenhum outro enigma que já tenhamos solucionado antes – observou Luke, apoiando-se sobre o ombro de Cody para ver o objeto melhor. – E se realmente ele trabalhava para a CIA, esse não será um código nada fácil de ser quebrado.

Cody, que tinha ficado estudando o enigma enquanto os outros discutiam, respirou fundo.

– O que há de errado, Cody? – perguntou M.E. – Parece que você viu um fantasma.

Cody apontou para a penúltima linha do enigma e a leu em voz alta. – Ouçam. Aqui diz: "*Permanece nas cinzas*".

– Tá, e daí? – indagou M.E., torcendo o rosto.

– Se foi o Homem Esqueleto quem escreveu isto, você não acha um tanto esquisito que ele tenha usado a palavra *cinzas*? – Cody olhou para os rostos estupefatos. Ela apanhou um punhado do sedimento fino do chão e o deixou escorrer por entre seus dedos. – Como o Homem Esqueleto sabia que a casa dele iria pegar fogo?

– A menos que ele tenha planejado tudo e colocado fogo na casa ele próprio... – disse M.E.

Antes que tivessem tempo para pensar um pouco mais sobre o assunto, Cody ouviu um barulho vindo da sala. Ela segurou o braço de M.E. e apontou para a origem do ruído.

– Eu ouvi alguma coisa – falou ela só com os lábios, sem emitir som, quase sem respirar. – Veio de trás do sofá!

Capítulo 10

No instante em que Cody estava prestes a sair correndo até a porta, um raio de luz preta passou por ela saindo de trás do sofá.

– Vixe, credo! – gritou M.E., abaixando-se atrás de Luke. – O que foi aquilo?

A impressão era de que o fantasma preto havia sumido no ar.

Quinn deu um forte suspiro. – Era só um dos gatos do Homem Esqueleto. A SPA esteve aqui ontem à noite para capturá-los. Suponho que eles tenham deixado esse para trás.

M.E. saiu de trás de Luke e olhou na direção do trajeto feito pelo gato preto. – Tadinho dele! Aqui, gatinho, gatinho – chamou ela. – Aonde ele foi?

Cody indicou uma janela quebrada. – Acho que o vi passando por ali, mas não tenho certeza. Estava correndo depressa demais – Cody chegou perto da janela e, então, parou de repente.

– Shhhh! – ela pediu silêncio aos outros. – Tem alguém vindo aí! Rápido! Escondam-se! Voltem para lá! – ela apontou para a sala.

– Tomara que não sejam os policiais – Luke sussurrou, enquanto corria para a sala. O resto do grupo o seguiu, e os quatro se esconderam atrás do sofá queimado, onde, há algum tempo, o gato havia se escondido.

Pouco depois, eles ouviram o barulho de uma chave entrando na fechadura da porta da frente.

Em seguida, passos no corredor de entrada.

Cody e seus colegas se agacharam, sem respirar, com os ouvidos bem abertos. "Se fosse a polícia, certamente seriam descobertos", pensou Cody. E, aí, o que aconteceria com eles? Seriam levados para o Centro de Detenção de Menores por arrombamento e roubo ou invasão de domicílio, ou seja lá como for que eles chamam isso no seriado policial. A sua mãe policial e o seu pai advogado iriam adorar. Ela ficaria de castigo, confinada, até a faculdade.

À medida que os intrusos entravam na sala, o barulho dos passos ficava mais alto. Cody tentou não respirar, porém os seus pulmões estavam muito contraídos. Ela torceu para que as cãibras nas suas pernas diminuíssem antes que desmaiasse, revelando o esconderijo dos quatro.

Algo pequeno e quente tocou a perna de Cody. Ela se assustou.

Um rato?

Ou coisa pior?

O que seria pior do que um rato?

O que quer que fosse tinha saído de debaixo do sofá. Ela tremeu e, de repente, se sentiu gelada. E se os boatos fossem verdade? E se realmente a casa fosse... mal-assombrada? Ela mordeu os lábios para conter um grito.

Cody sentiu o movimento de novo. Definitivamente, havia algo roçando a sua perna.

Alguma coisa viva.

E peluda.

Ela se curvou, esforçando-se para tentar enxergar no breu debaixo do sofá, e torcendo para que as suas juntas não estalassem. Uma pata preta se esticou e tocou a perna dela.

O gato-fantasma preto! Ele havia retornado ao sofá!

Cody pegou o animal e o arrastou até os seus braços. Para que ele ficasse em silêncio, ela começou a acariciá-lo e, então, percebeu que a cor preta do gato estava ficando em suas mãos.

Não era um gato preto! Era Abobra! Coberto de fuligem.

Ela o segurou apertado, alisando atrás das suas orelhas para evitar que ele saísse correndo, atraindo, desse modo, a atenção dos intrusos.

O gato começou a ronronar.

Bem alto.

Os passos na sala pararam repentinamente.

Silêncio.

Então, a voz estridente de um homem: – O que foi isso?

– Não sei – soou uma voz estrondosa de mulher. – Parece que veio de lá.

Cody não conseguia ver para onde a mulher havia apontado, mas sentiu pingos de suor brotarem na sua testa. Ela segurou Abobra com ainda mais força.

Péssimo negócio. O gato arqueou as costas, miou bem alto e pulou dos braços de Cody em pleno ar.

Alguém gritou.

Cody paralisou. Eles tinham certeza de que, agora, seriam descobertos.

Esperando que a qualquer momento fosse ouvir passos vindo na sua direção, Cody sinalizou para os demais, na Libras, que ficassem preparados para correr. Ela achava que seria a única saída para o grupo e deu início à contagem regressiva erguendo um dedo, em seguida dois... Quando estava prestes a levantar o terceiro dedo, um dos intrusos falou novamente.

– Caramba, Jezebel! Você precisa berrar desse jeito? – esbravejou uma voz masculina rouca. – Você quase estourou os meus tímpanos... e eu já sou meio surdo por causa de toda a sua tagarelice esganiçada. Foi só um dos gatos idiotas do Júnior.

– Bem, por pouco ele não me fez fazer xixi de tanto susto, Jasper! – gritou a mulher chamada Jezebel. – Eu quase molhei o meu vestido.

Devagarzinho, de trás do sofá, Cody deu uma espiada rápida nas duas pessoas em meio à luz, que ficava cada vez mais intensa. Como suspeitava, era a dupla que ela e Quinn tinham visto na varanda do Homem Esqueleto na outra noite.

O homem chamado Jasper era menor e mais magro do que a mulher. Ele estava vestindo um terno amarrotado e desconforme, que parecia ter vindo de uma loja de artigos de segunda mão, e sapatos surrados típicos de pai. Seu cabelo ralo penteado para o lado parecia grudado na cabeça quase toda careca.

Jezebel tinha o dobro do tamanho dele, com um enorme cabelo encaracolado, um enorme vestido florido, meias três-quartos arriadas e sandália de dedo sem salto. Ela havia exagerado na maquiagem e estava parecendo um palhaço, com batom vermelho, pó cor-de-rosa e sombra roxa em excesso.

Cody se agachou de volta sem ser vista.

– São *eles*! – contou ela aos outros só mexendo os lábios, sem emitir som.

– Você está sempre fazendo xixi quando não deve, Jez – resmungou o homem. – Se você parasse de gritar o tempo todo, talvez isso não acontecesse tanto.

– Cale a boca, Jasper, seu velho irritante. Molho meus vestidos porque é isso o que as senhoras idosas fazem. Pelo menos, eu não deixo o ambiente todo fedido como você – Cody pôde ouvir a mulher fungando no ar. – A propósito, o que é este cheiro rançoso? Seu café da manhã?

Jasper reagiu praguejando alto.

Cody quase molhou a própria calça tentando segurar uma gargalhada. Luke tampou o nariz, enquanto Quinn tampou a boca para evitar que ele mesmo começasse a rir alto. M.E. enterrou a cara nas mãos.

– Este é o cheiro do dinheiro, Jezebel – disse Jasper, bufando uma risada. – Dinheiro do Júnior. E é melhor nós o encontrarmos antes que os policiais apareçam e nos tirem daqui. Você sabe que é bem provável que este lugar esteja condenado. Tudo pode desabar sobre nós a qualquer momento.

Cody ouviu algo caindo no chão atrás dela e pulou. Um quadro chamuscado havia caído da parede destruída. Ela torceu para que os dois intrusos não resolvessem investigar o que tinha acontecido.

– O que foi isso? – perguntou Jasper.

Jezebel suspirou. – Ah, não seja um gato tão medroso, Jasper. Foi só a moldura de um quadro que caiu. Agora, pare de enrolar. Lembre-se: se nós não encontrarmos aquele dinheiro, não teremos como ajudar seu primo doente com o plano de saúde e os gatinhos fofinhos dele.

"Hummm", pensou Cody. Eles podiam ser esquisitos, mas talvez se preocupassem de verdade com o Homem Esqueleto, e era por esse motivo que estavam atrás do dinheiro. Talvez ela e os demais membros do Clube dos Caçadores de Códigos pudessem ajudá-los a encontrá-lo.

Cody estava prestes a sair do seu esconderijo para oferecer ajuda, quando ouviu dois cacarejos medonhos.

Eles estavam rindo!

Ela quase acreditou que aqueles dois estavam lá para ajudar.

– Obviamente, se acontecer alguma coisa com meu querido primo, imagino que teremos de gastar algum dinheiro com o funeral dele – afirmou Jasper, ainda dando risada.

– Sim, vinte pratas são suficientes para comprar um lindo caixão de pinho para ele, não acha? – perguntou Jezebel. – Quem sabe possamos enterrá-lo lá fora, no jardim, junto às suas esculturas feiosas. Assim, economizaríamos uma bolada.

– E poderíamos usar o resto da grana para nosso próprio plano de saúde, como você falou, Jez – continuou Jasper. – Não existe nada como um cruzeiro para o México, um carro novo e um condomínio em Maui, no Havaí, para melhorar a saúde!

Cody não conseguia acreditar no que estava ouvindo. Aqueles supostos parentes eram lobos em pele de cordeiro.

Enquanto Jasper e Jezebel saíam da sala em direção a outra parte da casa arrastando os pés, mais bufadas e cacarejos acompanhavam seus passos.

Cody se voltou para seus amigos e, na Libras, expressou uma palavra: .

Confira em Respostas e Soluções dos Caçadores, de Códigos nas pp. 242 e 247.

Os membros do clube esperaram, sem se mexer, atrás do sofá, enquanto ouviam os passos retornando ao corredor de entrada. Cody se perguntava o que os "primos" estariam fazendo.

– Encontrou alguma coisa? – resmungou Jezebel. Cody ouviu a mulher esfregando as mãos.

– Nada! – respondeu Jasper, mal-humorado.

– Bem, tem de estar aqui, em algum lugar – falou Jezebel. – Aposto que aquele seu primo com cara de macaco velho escondeu o dinheiro e, aí, criou um enigma para encontrá-lo. Ele estava sempre fazendo coisas desse tipo, inventando mistérios e afins, antes de ficar tantã da cabeça. É provável que soubesse que, quando ele se fosse, nós viríamos atrás da grana.

– Sim – confirmou Jasper. – E se ele já estava lelé da cuca quando o escondeu, nunca o encontraremos.

– Bem, não vamos achar nada ficando aqui – disse Jezebel. – Nós temos de vasculhar este lugar. Mas, primeiro, vamos precisar de algumas ferramentas, como um serrote e um martelo. Anda logo. Vamos sair daqui antes que os policiais nos encontrem. Não quero responder um monte de perguntas estúpidas. Voltaremos mais tarde, quando você tiver conseguido nossos apetrechos.

Cody e os outros membros do clube ouviram enquanto a dupla ia em direção à porta. Eles esperaram alguns minutos até que o caminho estivesse livre, então Quinn deu uma espiada por cima do sofá.

– Eles se foram – murmurou ele. Seu cabelo espetado cheio de gel tinha murchado, ficado liso, escorrido, de tanto que havia coçado a cabeça de nervoso.

Luke se levantou e olhou o relógio. – Que ótimo! Vamos chegar atrasados na aula! Vamos ter de correr o caminho todo ou seremos obrigados a ficar na escola de castigo até mais tarde. Minha *grand-mère* vai arrancar o meu couro.

– E o Abobra? – perguntou Cody, procurando ao redor. Parecia que o gato-fantasma havia desaparecido outra vez. – Nós não podemos simplesmente deixá-lo sozinho aqui. Ele vai morrer de fome.

– Ele ficará bem até hoje à tarde – afirmou Quinn. – Se ele não aparecer, podemos voltar aqui depois da escola para procurar por ele.

– Mano, e quanto ao dinheiro, ou testamento, ou seja lá o que for? – quis saber Luke. – Precisamos encontrá-lo antes que aqueles dois sinistros voltem e o roubem.

– Não seria ótimo se nós encontrássemos, de verdade, algum tipo de tesouro? – perguntou Cody. – Poderíamos usá-lo para ajudar os gatos do Homem Esqueleto, quero dizer, do senhor Esquelet.

A mãe dela não gostava nem um pouco quando ela usava o apelido do homem velho e excêntrico. E agora que ele estava no hospital, Cody também não se sentia bem com isso.

M.E. deu um tapinha na própria cabeça. – Lógico, soa como se ele fosse um doente mental. Talvez seja esse o motivo de ele ser um ermitão.

– Sem dúvida, não podemos permitir que aqueles dois peguem o dinheiro só para viajar num cruzeiro – acrescentou Quinn. – Agora, vamos sair daqui. Vamos bolar um plano depois da aula.

Cody indicou a saída pela porta dos fundos, abaixando-se enquanto corria pela lateral da casa. Ela rezou para que os vizinhos não os vissem. Se chegasse atrasada na escola mais uma vez este ano, como punição, teria de ir à escola aos sábados. Para Cody, sábado era um dia sagrado, o único dia que tinha para ficar com o pai, que a levava ao cinema, ou ao museu da universidade, ou ao zoológico de Oakland. Ela não podia permitir que a punição escolar estragasse isso.

– Corram – disse ela, dando uma rápida olhada nos outros, que vinham atrás, no momento em que virava o quarteirão. – Nós só temos cinco...

– Cuidado! – berrou Quinn.

Tarde demais.

Na hora em que Cody dobrou o quarteirão, deu de cara com o que parecia ser uma geladeira coberta de flores. O choque derrubou Cody e o buquê gigante no chão.

Por alguns segundos, Cody não conseguiu respirar. Ela já havia ficado sem ar antes, e essa era uma sensação assustadora, como se nunca mais fosse conseguir respirar outra vez. Porém, pouco depois, ela recuperou o fôlego. Ficou de pé e se limpou. Havia uma mancha vermelha em seu braço esquerdo.

Sangue?

Ela a esfregou com um dedo. Batom.

– Jeez Louise, era o que faltava! – o buquê de flores gigante, conhecido como Jezebel, falou ofegante, enquanto tentava recuperar a própria respiração. Ela estava deitada de costas, rente ao chão, com seu vestido de estampa floral erguido até a cintura, exibindo sua calçola gigante e cheia de coraçõezinhos dos tempos da vovó.

Luke suspirou, lamentando diante da cena e se virou. – Maaano!

– Eu... s-sinto muito! – gaguejou Cody. Ela se esticou e ofereceu uma das mãos para a mulher.

Jezebel bateu com força na mão de Cody. – Vocês, crianças, saiam já daqui! – gritou ela com toda sua força. Ela se impulsionou sobre os próprios cotovelos, conseguiu se sentar e tentou arrumar o vestido. – Esta aqui é uma propriedade privada. Vocês, pirralhos, não têm nada que xeretar aqui!

Jasper, que tinha assistido à cena escondido atrás de uma das esculturas de metal do Homem Esqueleto, aproximou-se muito timidamente.

– Isso mesmo. Vocês, crianças, estão, hã, invadindo um domicílio. Vou, hã, chamar a polícia.

Jezebel revirou os olhos para ele.

Era tudo o que Cody precisava: sua mãe aparecendo para levá-la presa.

– Eu... nós...

Quinn colocou seus óculos estilo aviador e disse:
– Nós só estávamos procurando o gato dela. Nós o vimos correr para este jardim. Um cor de laranja todo sujo de preto? Rabo longo? Olhos amarelos? Talvez vocês o tenham visto? – Quinn fingiu procurar no jardim da frente.

– Não, não vi gato nenhum – e, numa tentativa de ficar de pé, Jezebel girou sobre seus joelhos e acabou caindo com o traseiro virado para o ar. As crianças quase caíram na gargalhada. – Jasper! Me ajude a levantar, seu velho idiota!

Jasper agarrou os braços polpudos da mulher e tentou erguê-la, mas ela era demais para ele. Finalmente, Jezebel o empurrou para que se afastasse e, usando uma escultura próxima como apoio, pegou impulso para ficar de pé sozinha. Jasper tirou as folhas e o mato que haviam grudado no vestido, porém não conseguia alcançar os que ficaram enfiados no seu imenso cabelo desgrenhado estilo bufante. A mancha de batom vermelho nas bochechas e no queixo era igual ao risco no braço de Cody, e fazia com que a boca de Jezebel ganhasse uma aparência deformada e horrenda.

Os quatro membros do clube começaram a andar de costas na direção do portão da frente.

– Desculpe por incomodá-la, senhora – gritou M.E. – Estamos saindo agora mesmo. Não há necessidade de polícia.

Ela saiu correndo até o portão aberto, seguida por seus três amigos. Eles dispararam a correr rumo à escola, e para bem longe dos olhares raivosos lançados por Jezebel e Jasper.

Cody deu uma olhada para trás, pouco antes de dobrar a esquina no final da rua, e recebeu, de relance, uma última fuzilada da dupla. Eles ainda estavam em pé, no jardim, com os braços cruzados sobre o peito e olhos focados nas crianças.

Cody deu uma examinada no seu traje. Ela ficou imaginando se eles haviam percebido que a roupa dela estava toda coberta de fuligem. Se tinham, sabiam a verdade: que os quatro haviam estado na casa.

Espionando.

Capítulo 11

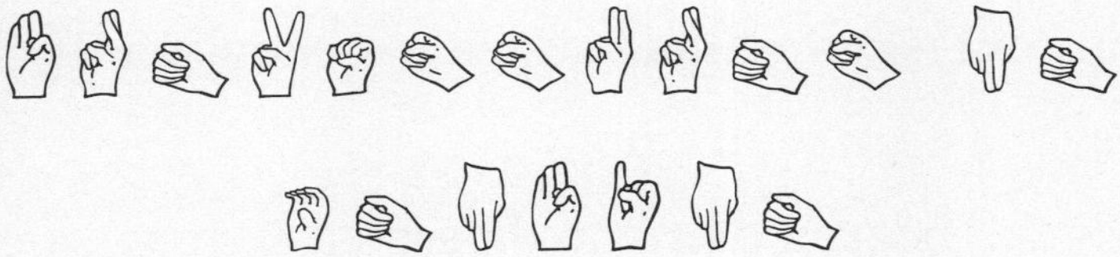

Faltando dois minutos para o primeiro sinal, Cody e M.E. deram uma passada rápida no banheiro das meninas para limpar a fuligem. Após o décimo quinto papel toalha, Cody sabia que se tratava de um esforço inútil. Tudo o que elas conseguiram fazer foi lambuzar as manchas pretas até virarem riscos cinzas. Sorte de M.E., que estava usando uma meia-calça vermelha. As listras cinzas a deixaram com uma aparência bacana, de uma pintura abstrata. Infelizmente, as listras nos fundos do *jeans* de Cody fizeram com que o traseiro dela ficasse semelhante ao de uma zebra mutante.

– Ih, ó! – bufou Matt, o Peste, para Cody. – Que listras impressionantes. Está faltando alguma zebra no zoológico? Ou você fugiu de Alcatraz? – ele caiu na gargalhada, fazendo chuviscar gotas de saliva para todo lado.

Cody encarou o brigão da escola com raiva, na hora em que passou por ele a caminho da carteira dela. Hoje, a cabeça raspada dele pintada de *spray* verde estava igual a um gramado que precisa ser aparado com a máxima urgência. A cor combinava com a tatuagem falsa de uma serpente de duas cabeças no seu braço estufado. A camiseta enorme com a estampa de uma caveira sobre dois ossos mal alcançava a calça *jeans* larga e caída abaixo da cintura e, vez ou outra, Cody acabava tendo uma indesejável visão da cueca dele. Foi o suficiente para fazê-la perder o café da manhã.

Embora Matt, o Peste, agisse como um tolo, cheirasse a pasta de amendoim e gritasse o nome de todo mundo, ele não assustava Cody. Ela o tinha visto chorar uma vez, depois de sair da sala do diretor. Na verdade, ele havia ficado encrencado tantas vezes, que já tinha sua própria cadeira especial lá. Cody sabia que, naqueles dias, se Matt, o Peste, apenas arrotasse muito alto, seria o suficiente para ser expulso da Escola Cooperativa do Fundamental II de Berkeley.

Assim que se sentou na carteira que lhe foi designada, atrás de Matt, Cody checou sua mochila. Ela abriu o zíper do bolso maior e procurou lá dentro, tateando, ignorando seu caderno escolar, o Caderno de Códigos, lápis e outros apetrechos.

Ela tremeu.

A caixinha que eles haviam encontrado na casa do Homem Esqueleto tinha sumido.

Mais do que depressa, ela abriu o outro bolso e enfiou a mão lá dentro. Nada além de uma goma de mascar já mastigada e algumas borrachas em forma de gato. Tentou outro bolso, em seguida mais outro. No último bolso, o menor de todos, que raramente usava, ela sentiu, nas pontas dos dedos, o metal duro e gelado.

Cody suspirou aliviada. "A caixinha! Que bom!"

Se ela perdesse a caixa de metal do Homem Esqueleto, aquela que haviam encontrado escondida atrás do certificado, jamais ouviria dos Caçadores de Códigos o final da história. Por sorte, ela teve presença de espírito para escondê-la na mochila, na hora em que Jezebel e Jasper chegaram – mesmo que tenha se esquecido exatamente onde.

Ela puxou a caixinha do esconderijo e a virou ao contrário sobre suas mãos. A senhora Stadelhofer estava ocupada fazendo a chamada, então Cody não precisava prestar muita atenção até a professora chegar no J. Dakota examinou a caixinha mais de perto. Embora se assemelhasse a uma latinha de bala de menta, parecia ter sido feita à mão. O metal – escuro e envelhecido – a fazia se lembrar do tipo de metal que o Homem Esqueleto utilizava nas suas esculturas do jardim. Cody a virou novamente, procurando um jeito de abri-la.

– Dakota Jones? – chamou Stad.

Cody estava tão concentrada tentando abrir a caixinha que se assustou ao ouvir seu nome. Matt, o Peste, se virou na cadeira, dando aquela risada forçada e molhada.

– Hã, aqui – respondeu ela, levantando a mão.

Antes que ela abaixasse a mão, Matt deu um soco na caixinha, derrubando-a no chão com um barulho bem alto de *tilintim-tim!*

A classe inteira se voltou para Cody. Ela ficou vermelha, enquanto se inclinava para pegar a caixinha.

– Dakota?

Cody olhou para cima, para a cara da senhora Stadelhofer, que surgiu sobre ela, com olhar de censura e reprovação.

– Eu... deixei cair minha... – ela começou a se explicar.

Stad estendeu uma mão sardenta. – Eu fico com isso. Você a terá de volta só na hora do almoço. Até lá, fica na minha mesa junto aos outros objetos confiscados. Você conhece as regras.

Devagar, Cody colocou a caixinha na mão esticada da senhora Stadelhofer. Matt, o Peste, soltou uma gargalhada, e Cody sabia que ele estava adorando imensamente tamanha bronca. A filosofia de Matt era: se Matt, o Peste, não podia ter algo, ninguém mais podia. Não importava *o que* fosse.

Enquanto Stad voltava para sua mesa, Matt sussurrou: – A propósito, o que aquela caixinha idiota tem de tão especial? Você guarda seus pequenos tesouros lá dentro? Ou é a sua maleta de maquiagem...

– Matthew Jeffreys – chamou a senhora Stadelhofer da mesa dela –, vire-se. Olhos para a frente. Lápis na mão.

Cody deu um sorrisinho maligno para Matt na hora em que ele se virou de frente para a professora. Ela teria de ficar de olho no Peste até conseguir pegar a caixinha de volta.

Preocupada com a caixa de metal, Cody não conseguiu se concentrar na aula de História pelo resto da manhã. Felizmente, Matt, o Peste, parecia ter se esquecido do assunto. Ele estava ocupado atazanando outros alunos e não prestou muita atenção nela após o ocorrido.

Durante toda a longa e chata "viagem" por alguma civilização antiga, Cody manteve a atenção dividida entre os outros objetos confiscados sobre a mesa da senhora Stad: um celular prateado, uma pulseira da sorte, um fone de ouvido, algumas minhocas viscosas e um bilhete codificado que Samantha, a Enxerida, tinha interceptado entre Cody e M.E. e o relógio da classe pendurado na parede próxima à porta.

Quando eram 11h59, ela deu uma olhada para confirmar se a caixinha ainda estava na mesa da senhora Stad. Rapidamente, levantou a parte de cima da sua carteira, apanhou os livros e os trabalhos, abriu o zíper da mochila, socou tudo lá dentro, fechou o computador de mesa e se sentou direito para esperar pelo sinal do almoço. Ela pregou os olhos no relógio, desejando que o ponteiro grande chegasse logo em 12h.

O sinal tocou. Junto com o resto da classe, Cody se levantou e pegou a mochila. Ela correu até a mesa da professora, atravessando a multidão de colegas, que tentava sair ao mesmo tempo.

Quando chegou à mesa da senhora Stad, não conseguia acreditar no que via.

A caixinha não estava mais lá.

E Matt, o Peste, também não.

– Ela sumiu! – disse Cody, agarrando M.E. na hora em que saía da classe dela.

– O que sumiu? – M.E. franziu a testa diante do ar de preocupação no rosto de Cody.

– A caixinha! A senhora Stadelhofer a pegou e a colocou em cima da mesa dela junto às outras coisas, mas quando fui pegá-la de volta, tinha sumido!

– Ah, não – lamentou M.E. Ela acenou para Quinn e Luke, que estavam indo para a cantina.

– E aí, o que rola? – perguntou Luke, na hora em que ele e Quinn se juntaram às duas garotas.

– A *caixinha*. Sumiu! – gritou Cody de maneira estridente.

– A caixinha do Homem Esqueleto? – indagou Quinn, levantando os óculos de sol para olhar Cody. Ele não parecia nada satisfeito.

– Maaano – exclamou Luke, o que poderia significar "Sem chance", ou "Isso não é nada bom", ou qualquer outro monte de coisas.

– Eu *sei* – disse Cody quase chorando. – Acho que Matt, o Peste, a roubou!

M.E. procurou minuciosamente por todo o chão da escola e retornou para o grupo. – Temos de pegá-la de volta. Vamos nos espalhar e ver se conseguimos encontrar o Matt. Cody, você tenta a cantina. Luke, checa a quadra esportiva. Quinn, ele pode estar no banheiro dos meninos, portanto dê uma olhada lá. Eu vou ver se ele está escondido nos fundos da escola.

Os outros três confirmaram com a cabeça e partiram para as áreas que lhes haviam sido designadas. Cody seguiu em direção à cantina.

O nível de barulho dentro da grande cantina era ensurdecedor, mas Cody quase nem percebeu, concentrada em procurar Matt, o Peste, e recuperar a caixinha. Depois de percorrer o lugar duas vezes, finalmente ela viu Matt sentado em uma das mesas com uma bandeja repleta de comida. O prato não havia sido tocado, o que, sem dúvida, no caso dele, não era normal. Logo Cody viu por quê. Ele estava distraído, brincando com alguma coisa pequena nas mãos.

A caixinha do Homem Esqueleto.

Cody se aproximou para confirmar, tomando o cuidado de ficar escondida atrás de outros alunos, caso Matt resolvesse olhar. Naquele momento, ele estava ocupado demais, tentando abrir a caixa de metal com um garfo, para notar a presença dela. Por sorte, o garfo era de plástico. Um dos dentes quebrou e voou para o outro lado da mesa, indo pousar na torta de maçã de Samantha, a Enxerida, de frente para ele.

– Seu imbecil! – xingou Samantha.

Ela empurrou a sobremesa para mostrar ao Matt o que ele havia feito. Ele a ignorou e continuou tentando abrir a caixinha com o garfo quebrado.

– O que você está fazendo? – perguntou Samantha. – Você não vai conseguir abrir isso com um garfo de plástico. Tente com isto – ela tirou algo da mochila.

"Uma faca?", surpreendeu-se Cody. Nossa, ela estava em maus lençóis.

Cody chegou mais perto. Ela estava a apenas duas mesas de distância.

Não era uma faca. Era um transferidor. Matt, o Peste, arrancou o instrumento da mão de Samantha e começou a furar a lateral da caixinha com a ponta mais aguda.

"Que maravilha!", pensou Cody. "Ele vai abrir a caixinha com aquela coisa!" Ela olhou ao redor, desesperada, procurando um jeito de fazê-lo parar. Sabia que não seria capaz de fazer isso sozinha.

Foi quando teve uma ideia.

Cody saiu correndo da cantina, quase trombou com uma criança que carregava uma bandeja cheia de bolo de carne moída com batatas e se apressou ao dobrar a esquina em direção à secretaria da escola.

Ela chegou e encontrou a sala vazia. A secretária devia ter dado uma pausa para ir ao banheiro. "Ótimo!"

Cody foi até o estoque, agachada, onde ficava guardado o sistema de discursos públicos. Todas as manhãs, o diretor fazia anúncios por meio do sistema de som – próximos eventos, alterações na agenda diária, menções honrosas – acompanhados por uma série de piadinhas sem noção. Fora isso, era utilizado somente em caso de emergência.

"Que seria exatamente o caso neste momento", pensou Cody.

Cody fechou a porta e se sentou em frente ao microfone. Ela teria de agir rápido, antes que a secretária ouvisse o som dos alto-falantes e retornasse para ver Cody produzindo tais ruídos – o que, com certeza, significaria a punição de ter de ficar na escola após o horário regular. E, na sequência, a mãe dela a mataria.

Entretanto, ela precisava resgatar aquela caixinha.

Acionando o botão "Todo-*campus*", Cody alterou o volume para alto e começou a dar tapinhas no microfone.

... --- ...

-- .- - -   -. .-   -.-. .- -.

.--. .-. . -.-. .. ... ---   .- .--- ..- -.. .-

... --- ...

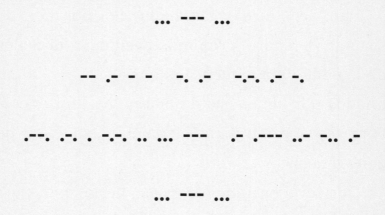

Confira em Respostas e Soluções dos Caçadores de Códigos, nas pp. 242 e 247.

Capítulo 12

Quando Cody terminou, desligou o sistema de som e logo saiu se esgueirando da sala, antes que a secretária voltasse e a pegasse em flagrante. Para o caso de a mulher ter ouvido as batidinhas, Cody torcia para que ela pensasse que se tratava de algum problema com o funcionamento do sistema e não reconhecesse o código Morse.

Pouco depois, Cody se encontrou com Luke, Quinn e M.E. na porta da cantina.

– Captei a sua mensagem – falou Luke, observando dentro do lugar atentamente. – Onde está ele?

Cody apontou para Matt, o Peste, que, felizmente, ainda estava mexendo na caixinha com a ponta cortante do transferidor. Eles foram entrando, procurando passar despercebidos para não atrair a atenção de Matt. À medida que se aproximavam, Cody percebeu que Matt não estava mais cutucando a caixinha.

Ele estava dando golpes nela.

Com certeza, ela iria abrir a qualquer momento.

– O que faremos? – murmurou Cody.

Luke olhou para uma bandeja com restos de comida numa das mesas próximas. Ele apanhou um pãozinho duro e o atirou na mão de Matt. Sendo o atleta que era, foi um golpe certeiro. O transferidor voou da mão de Matt e aterrissou sobre uma *pizza* na mesa ao lado.

– Ai! – Matt berrou alto, balançando a mão e deixando a caixa de metal cair debaixo da mesa. Bem ao lado do sapato gigante e fedorento dele.

Matt se virou e viu Luke com um segundo pãozinho na mão. Ele ficou vermelho de raiva, ao mesmo tempo em que resmungava: – Malditas crianças de códigos...

Antes que Matt pudesse se abaixar para pegar a caixinha, a *pizza* – sem o transferidor – veio voando bem na sua direção, por trás dele, como um disco de *frisbee*. Ela bateu em cheio na parte detrás da cabeça de Matt, deixando pedacinhos de salame, queijo e molho de tomate brilhando na careca raspada verde dele. Matt fez uma porção de caretas à medida que colocava as mãos para trás, para tentar tirar os recheios de *pizza* da própria cabeça.

Por um instante, com um olhar enfurecido e o rosto lambuzado de vermelho, ele encarou a imundície na sua mão. Esticando-a para alcançar um bolinho coberto de chocolate de uma bandeja próxima, Matt o agarrou e o arremessou na direção do atirador de *pizza*.

Lamentavelmente para Matt, o bolinho foi interceptado pela senhora Stadelhofer, que havia acabado de chegar para pôr fim à guerra de comida que se iniciara.

Ela levou o bolinho direto na cara.

Os Caçadores de Códigos se agacharam embaixo de uma mesa. Antes que a senhora Stadelhofer pudesse soprar o seu apito, começou a voar comida para todo lado. *Pizza*, bolo de carne, bolachas, bolinhos e, pelo menos, dois tipos de verdura voaram pelos ares e se espatifaram no refeitório caótico. Com restos de cobertura de chocolate no nariz, de repente Stad "tomou leite", quando uma caixa de leite desnatado se chocou contra o peito dela e ensopou a frente da sua blusa de seda cor de alfazema. Quando ela conseguiu soprar o apito, o som foi ensurdecedor.

"Sem dúvida, os Caçadores de Códigos sabiam como criar uma distração", pensou Cody, assistindo à comida voar de debaixo da mesa. Examinando atentamente o local, viu a caixa de metal a um metro de distância, embaixo da mesa ao lado. Saiu engatinhando e seus joelhos se encheram de gelatina verde-limão com pedacinhos de abacaxi. Ela se esticou para pegá-la.

Um sapato gigante interceptou-a e chutou a caixinha para longe.

Cody aproveitou um instante para limpar a goma verde na perna da calça de alguém e, em seguida, engatinhou, de novo, na direção da caixinha. Desta vez, quando a alcançou, ela se jogou em cima dela. Com a caixinha embaixo de si, em segurança, Cody se esgueirou de volta por baixo de outra mesa e, então, se sentou. Antes que qualquer outra coisa acontecesse com a caixinha, ela a enfiou dentro do bolso da calça.

Cody acenou para Quinn, ainda debaixo da primeira mesa, para ganhar a atenção dele. Ele tirou os óculos de sol, e ela lhe fez sinal de positivo com o polegar. De costas, ele repassou o sinal para M.E. e Luke, depois gesticulou, no estilo militar, para que o seguissem, enquanto se movimentavam sobre as mãos e os joelhos em zigue-zague por entre as mesas interligadas da cantina até que os quatro chegassem à saída.

Eles estavam prestes a se levantar, quando o diretor Grunt apareceu na porta de entrada. A cara dele não tinha a expressão "orgulho escolar" de costume. Ao contrário, ele trazia um megafone em uma das mãos e, na outra, um apito.

Cody tremeu de susto diante do som agudo e penetrante, tão logo o diretor Grunt soprou o apito com força total.

– Matthew Jeffreys! – explodiu a voz de Grunt no megafone. Os alunos, enfeitados por um arco-íris de comida da cantina, interromperam a guerra e se voltaram para o diretor. Ficaram petrificados, de boca aberta e olhos arregalados.

Todos os olhares acompanharam o diretor enquanto ele marchava na direção de Matt, o Peste, que estava segurando, na mão erguida, um punhado de batatas fritas encharcadas de óleo.

Os Caçadores de Códigos se aproveitaram da distração e saíram agachados, de fininho, pelas portas da cantina. Já de pé, na entrada, Cody deu uma rápida olhada para trás, para ver Matt, que estava com a cara brilhando de suor e algum tipo de molho.

O diretor Grunt ficou olhando para Matt, de braços cruzados e balançando a cabeça, indignado com o aluno que ele acreditava ser o responsável pelo início da guerra de comida. Entretanto, Matt não estava olhando para o diretor. Ele estava encarando Cody fixamente, com seu rosto coberto de molho e contorcido de tanta raiva. Mesmo a certa distância, ela não teve dificuldade em ler os lábios dele gesticulando as palavras: – Eu vou acabar com você.

Ainda bem que Cody não viu mais Matt, o Peste, pelo resto do dia. Ela torcia para que ele tivesse sido punido pela escola com aulas além do horário normal até o final do semestre. Quando a senhora Stad apareceu na classe, depois do almoço, com uma blusa nova, o nariz dela estava brilhando de tanto que ela o havia esfregado para tirar o bolinho e o leite. Ela passou o restante da aula falando sobre os perigos das guerras de comida e dividiu os alunos em "tribos" para "solucionar problemas" em situações futuras.

Cody mal conseguia prestar atenção no assunto, querendo saber o que havia dentro da caixa de metal, que tinha causado tanto transtorno. Ela a entregou ao Quinn, assim que saíram da cantina, e Quinn a tinha guardado em segurança no bolso de zíper da sua jaqueta. A única preocupação dela, agora, era com a ameaça de Matt, o Peste: "Eu vou acabar com você".

A punição da escola não iria durar para sempre.

Na hora em que tocou o último sinal, Cody teve dificuldade para tirar um livro da carteira. Quando chegou à entrada da escola, M.E. não estava lá. Cody foi até o mastro da bandeira, o ponto de encontro de costume dos Caçadores de Códigos, porém não havia qualquer sinal de algum dos seus amigos. Ah, não! Parecia que ela ia ter de caminhar até a sede do clube sem mais ninguém.

Sozinha.

Com a ameaça de Matt, o Peste, pairando sobre ela.

Sem falar no leão da montanha.

Enquanto descia a rua, Cody continuou olhando para trás, para conferir se Matt não a estava seguindo. Tão logo começou a subir a colina rumo à sede, passou a manter os olhos bem abertos por causa do leão. Não havia sinal de nenhum dos dois, embora ela tivesse dado dois pulos de susto – um quando um cachorro latiu, e o segundo quando algo por detrás das árvores de eucalipto fez barulho. Subindo o restante da colina correndo, ela não sabia o que era pior: um leão da montanha faminto ou um valentão enfurecido.

Quando, por fim, chegou à sede do clube, deu a batida secreta e falou a senha. A tranca foi retirada e a porta se abriu. Cody suspirou aliviada ao encontrar Quinn e Luke lá dentro. Mas, quando se deu conta de que M.E. não estava com eles, ela se lembrou das palavras de Matt, o Peste, antes de ser levado de castigo. Matt sabia que, apesar de Luke ter começado a guerra de comida, *Matt* é que havia sido acusado de tê-lo feito. O alívio de Cody logo se transformou em preocupação com a amiga.

– Onde está M.E.? – Cody deu uma olhada pela mata colina abaixo antes de fechar a porta e tirar a mochila. Ela se sentou de pernas cruzadas, sobre o moletom, para protegê-la da folha de metal gelada, que servia para cobrir o chão e esconder o abrigo secreto.

Quinn encolheu os ombros. – Não a vejo desde a hora do almoço. Ela costuma vir com você.

Cody franziu a testa. – Espero que nada tenha acontecido com ela...

Luke balançou a cabeça. – Sei que ela não é a pessoa mais corajosa do mundo, mas M.E. é capaz de cuidar de si mesma. Ela é rápida e pequena, e consegue se safar de qualquer coisa. É bem possível que ela só...

Uma batida conhecida na porta interrompeu Luke.

– Agora, deve ser ela – disse Luke, ficando de pé. Porém, antes de abrir a porta, ele perguntou: – Qual é a senha?

– ***Ariefatniuq*** – soou uma voz abafada.

Luke destrancou a porta e a abriu. Era M.E., tudo certo.

Mas ela não estava sozinha.

– Mano, quem é o seu amigo? – Luke olhou meio abobalhado para o recém-chegado.

Cody deu um pulo. – Você encontrou o Abobra! – ela pegou o gato cor de laranja dos braços de M.E. e o acariciou. – Onde ele estava?

– Eu o encontrei escondido atrás de uma daquelas esculturas de metal no jardim do Esqueleto – contou M.E. – Ele estava miando e cavoucando a sujeira.

– Você *voltou* lá? – perguntou Cody, perplexa com M.E. Normalmente, quando havia qualquer tipo de perigo envolvido, ela era a primeira a se acovardar.

– Sabia que você sentia saudade dele, Cody – respondeu M.E. – Queria fazer uma surpresa.

– Que fofa! Você até tirou a fuligem dele – disse Cody, quase arrancando o pelo macio do gato enquanto o esfregava.

– Ei – falou Luke. – Vamos elegê-lo o mascote dos Caçadores de Códigos. Nós poderíamos chamá-lo de Decifrador.

– Acho que deveríamos chamá-lo de Sortudo – sugeriu Quinn. – Ele é sortudo de estar por perto.

– E que tal Bond, Gato Bond? – acrescentou M.E. num sotaque britânico engraçado. – Ele seria um ótimo gato-espião. 0-0-nove... vive – ela caiu na risada.

Cody balançou a cabeça. – Sinto muito, mas ele já tem nome: Abobra – ela pegou o pescoço do gato para mostrar a eles a coleira personalizada que havia feito para o animal. Mas, quando olhou, a identificação estava diferente. Ela a tirou e examinou.

– Isto é bizarro. A etiqueta que eu fiz para ele está coberta por um adesivo. E tem uma pequena chave junto dela.

Ela mostrou a etiqueta e a chave para o grupo. – Está escrito à mão e diz: “Francis Scott”. Será o nome do gato?

– Francis Scott? – disseram Luke e Quinn ao mesmo tempo.

– Que tipo de nome é esse para um gato? – perguntou Quinn, fazendo caretas.

– Esse nome não me é estranho – acrescentou Luke.

– Você está pensando em Francis Scott Key[4] – disse Cody. – Ele compôs *A bandeira estrelada*, lembra?

– Ei, que legal – falou Luke. – Há uma chave e o nome dele é Francis Scott. Captaram?

– Isso me faz lembrar de... – Quinn puxou a caixa de metal da sua jaqueta. – Olhem para isto.

Luke deu uma olhada na caixinha. – O quê?

– Há letras escritas na lateral – respondeu Quinn. – Você consegue vê-las, quando bate luz nelas.

– O que dizem? – quis saber Cody, surpresa por não as ter descoberto quando ficou com a caixinha.

– Estão muito apagadas – disse Quinn –, mas, com a fuligem do fogo, fica mais fácil de ler.

---

[4] N.T.: a autora aproveita a palavra "*key*" ("chave" em português) do sobrenome do autor do atual hino dos Estados Unidos (*The star--spangled banner*, ou *A bandeira estrelada*), Francis Scott Key, para compor o enigma.

– Deixe-me ver – Cody pegou a caixinha das mãos de Quinn e a examinou de perto. A caligrafia era rebuscada e antiga, semelhante a algo que tinha visto nos livros dos museus. Ela só conseguia entender três letras.

– F S K – disse Cody.

– Isso não é uma palavra – argumentou M.E.

– O que vocês imaginam que isso significa? – indagou Luke, erguendo uma das sobrancelhas.

– Boa pergunta – falou Quinn, pegando a caixinha de volta das mãos de Cody.

– Talvez sejam iniciais – sugeriu M.E.

Quinn discordou, balançando a cabeça. – Mas o nome do velho homem é Esqueleto, quero dizer *Esquelet*. Esse é o sobrenome dele, não o nome do meio. Pode ser que as iniciais representem alguma coisa em código como naquele certificado emoldurado da CIA que nós vimos. FSK. Federal... Secreto... Ka... – ele encolheu os ombros e colocou a caixinha na mão estendida de Luke.

Luke a analisou atentamente e, então, disse:
– Mano, não consegui nada. Se nós não temos a chave, não podemos quebrar o código.

Cody se sentou. – É isso!

– O que é isso? – perguntou Luke.

– O que você disse a respeito da chave, Luke – continuou Cody. – O senhor Esquelet grudou aquele bilhete na etiqueta, escreveu aquele nome e anexou a chave. Deve querer dizer que o nome dele é...

Todos disseram numa só voz: – Francis Scott *Key*!

Cody olhou para o gato.

– A “chave” para a caixa de metal está em volta do pescoço do gato!

Capítulo 13

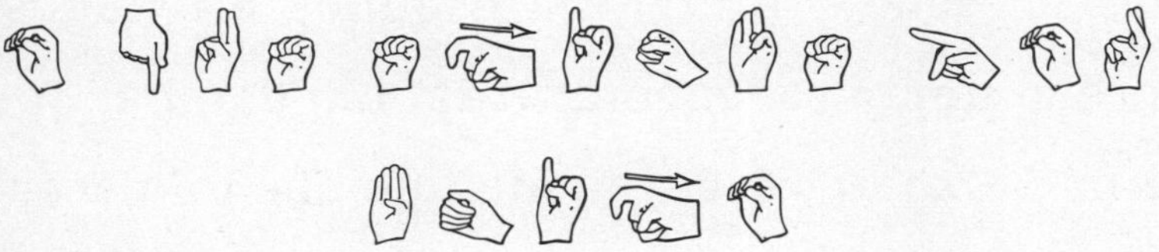

Abobra, também conhecido como Francis Scott Key, parecia entender cada palavra dita pelas crianças. Aparentemente, ele não queria nada daquilo. Arqueou as costas, soltou um bramido e pulou subitamente das mãos de Cody.

– Peguem-no! – gritou Quinn. – Do contrário, ele vai fugir pelo vão da porta.

Quando os garotos construíram a sede do clube, ela não tinha ficado totalmente nivelada. Havia espaço suficiente para que um rato grande, ou um gato pequeno, passasse se espremendo pela abertura debaixo da porta.

Mais de uma vez, os membros do clube haviam encontrado um animal esperando por eles na sede – a maioria esquilos e texugos. Porém, uma vez, encontraram um gambá, que tinha deixado o lugar tão fedido que foi necessário fazer as reuniões no galpão de ferramentas de Quinn até que a sede ficasse livre do mau cheiro.

Abobra parecia conhecer a rota de fuga instintivamente e correu para o vão. No entanto, Luke foi mais rápido e bloqueou a passagem, esticando a perna em frente à porta. O gato silvou para Luke, mas Luke nem se mexeu.

– Lindo gatinho – disse ele, enquanto Cody pegava Abobra e tentava acalmá-lo.

– Ora, bolas – falou Quinn, procurando pelo chão. – Onde foi parar a caixinha? – eles a tinham perdido de vista durante a tentativa de fuga do gato.

– Lá está ela – disse M.E., avistando-a debaixo da mochila de Cody, que ergueu a caixinha com a mão livre, pois sua outra mão ainda estava segurando Abobra junto ao peito dela. Ela se voltou para M.E. e perguntou: – M.E., você consegue tirar a chave do gato?

M.E. confirmou acenando com a cabeça, estendeu a mão e tateou a coleira procurando pelo fecho. Em seguida, a chave estava pendurada nas pontas dos dedos dela.

– Experimente a chave naquela frestinha – disse Cody, indicando a pequena fenda na lateral da caixinha. M.E. inseriu a chave e, dando uma volta, de repente, a caixa de metal se abriu.

– Legal! – falou Luke e comemorou com Cody batendo a mão espalmada dele na mão dela, o famoso "toca aqui".

Quinn deu um largo sorriso de expectativa na hora em que M.E. ergueu a tampa e olhou lá dentro.

Os olhos dela, arregalados, se comprimiram.
– Não tem nada aqui. Está completamente vazia.

Cody apanhou a caixinha aberta para ver com os próprios olhos. M.E. estava certa: não havia nada lá dentro. Ela virou a caixinha e a examinou com mais cautela. Quando começou a fechá-la com a tampa, seus olhos captaram algo que não tinha percebido quando a segurou na vertical. Havia ranhuras meio apagadas na parte interna da tampa.

Cody olhou para a amiga. – M.E., você tem um docinho aí? – Cody sabia que M.E. era louca por doces e quase sempre tinha algum chocolate na mochila.

– Talvez – respondeu M.E., agarrando a mochila com força. – Por quê?

– Me dá – pediu Cody, estendendo a mão.

– Sem chance.

– Por favor.

M.E. fez cara feia e abriu um pequeno bolso da sua mochila. – Você me deve essa – afirmou ela, dando uma barra de chocolate para Cody.

Cody entregou Abobra para M.E., em seguida rasgou a embalagem e quebrou um pedaço do chocolate. Ela o espremeu entre os dedos até derreter para, então, passá-lo sobre as ranhuras. Limpou o excesso com a palma da mão. O chocolate derretido tinha preenchido os pequenos orifícios das gravações no metal, tornando-as mais visíveis.

– Parecem desenhos minúsculos – disse Cody, mexendo a tampa de um lado a outro, na tentativa de captar luz. – Quinn, são do mesmo tipo de desenhos que vimos na janela do senhor Esquelet.

Confira em Respostas e Soluções dos Caçadores de Códigos, nas pp. 243 e 247.

Quinn analisou a parte interna da tampa. – Espere aí... – ele se levantou e acenou para os demais fazerem o mesmo. Ajoelhando-se sobre uma das pernas, ergueu parte do piso de metal, revelando, por baixo, metade do esconderijo secreto. Ele se esticou e puxou uma cópia surrada do *Dicionário de códigos secretos* e, na sequência, recolocou o piso. Numa rápida leitura, encontrou o que estava procurando: um capítulo que destacava bonecos-palito segurando bandeiras em diversos ângulos.

Cody observou com muita atenção, apoiando-se sobre o ombro dele. – O que são?

– Semáforas – respondeu Quinn. – Os marinheiros utilizam bandeiras em diferentes ângulos para representar as letras – ele examinou o primeiro boneco-palito e, então, deslizou o dedo sobre as várias semáforas e as letras do alfabeto correspondentes a elas. Parou na figura ao lado da letra D.

– Cody, anote aí – pediu Quinn.

Cody pegou seu caderno de códigos e o folheou bruscamente até uma página em branco.

– D – falou ele, com o dedo deslizando para a semáfora ao lado. Ele foi dizendo uma a uma, em voz alta: – E.B.A.I.X.O.D.O.S.O.F.A.

Cody anotou cada letra, à medida que Quinn as pronunciava. Quando ele parou e fechou o livro, ela leu as palavras: – Debaixo do sofá! – anunciou ela, eufórica.

– Então, aqueles bonecos-palito que vimos na janela... aposto que também eram semáforas – comentou Quinn. – Ele estava tentando nos mandar uma mensagem.

Mais do que depressa, Cody folheou o caderno até a página onde havia copiado as figuras da janela do Homem Esqueleto. Com o auxílio do dicionário de códigos, ela começou a anotar letras, que correspondessem a cada um dos sete bonecos-palito. Quando terminou, fechou o livro e olhou para os três amigos.

– S. O. C. O. R. R. O. – disse ela. – Ele estava tentando nos contar que precisava de socorro!

– Temos de voltar lá – afirmou Quinn.

– Aonde? – perguntou M.E.

– À casa do Homem Esqueleto – respondeu Quinn, enfiando o dicionário na mochila e pegando os óculos de sol estilo aviador.

– Por quê? – quis saber Luke.

– Não é óbvio? Ele deixou essa mensagem codificada que diz "debaixo do sofá". Obviamente, ele escondeu alguma coisa debaixo do sofá. Temos de encontrá-la, antes que seus dois primos sinistros o façam.

– Ele está certo – disse Luke ao resto do grupo. – Nós precisamos averiguar isso.

– Mas, se o tesouro estava lá, talvez tenha sido destruído pelo fogo – argumentou M.E.

Cody balançou a cabeça. – Não acredito que isso vá ser um problema.

M.E. torceu o nariz. – Por que não?

– A estrutura do sofá era de metal, como as esculturas do Homem Esqueleto, portanto não queimou. É possível que ele mesmo a tenha feito como fez todas aquelas esculturas do jardim. Se ele tiver algo escondido, como um tesouro, é provável que esteja debaixo do sofá. Talvez no chão.

Quinn deu um pulo. – É melhor irmos até lá. Agora!

Agachados atrás da cerca do Homem Esqueleto, Cody, ainda segurando o gato, e os outros se arrastaram pelos arbustos, a caminho da porta dos fundos da casa destruída pelo fogo. Logo, Cody reparou que havia algo diferente na casa. Ela deu um empurrão e a porta se abriu só uns dois centímetros e, então, parou de repente.

– Alguém colocou uma corrente na porta por dentro! – disse ela.

Luke tentou se esticar para soltá-la, porém a mão dele não passava pela abertura. Nem M.E., que tinha as menores mãos, conseguiu.

– Quem faria isso? – perguntou Quinn, logicamente transtornado com o novo obstáculo.

– Talvez aqueles dois esquisitos? – supôs Luke. Seu rosto se iluminou. – Esperem aí. Já volto – ele saiu correndo e sumiu pela lateral da casa. Retornou pouco depois, com o rosto abatido. – A porta da frente está com uma maçaneta nova e também está trancada.

– Estamos trancados do lado de fora – disse Luke, olhando ao redor. – Não podemos entrar pelas janelas. As quebradas estão com trancas.

– Tive uma ideia – falou Cody, olhando para a portinhola do gato. A abertura era do tamanho de uma caixa de sapato grande, e havia sido feita de metal à mão, mais uma das criações do senhor Esquelet.

Ela empurrou a aba. Nenhum movimento. Luke, que captou a ideia, se sentou e deu um chute nela, arrancando uma das dobradiças. A portinhola balançou e, então, ficou dependurada pela outra dobradiça.

– Quinn, me ajuda a puxar essa coisa – pediu Luke, segurando a aba com as duas mãos. Quinn agarrou o outro lado da pequena porta e, juntos, eles a arrancaram. Quinn deu mais um chute e a portinhola se soltou nas mãos dele, fazendo os dois caírem sentados.

– Vocês conseguiram! – berrou M.E., assustando o gato nos braços de Cody. Abobra pulou no chão e passou correndo pela abertura, sumindo de vista.

– Desculpe! – M.E. bateu com a mão na boca.

– Acho que você vai ter de ir lá dentro atrás dele – disse Cody, com uma das sobrancelhas erguida e um sorrisinho sarcástico.

M.E. olhou para ela e balançou a cabeça. – Não existe a mais remota chance de eu entrar engatinhando por aquela portinhola de gato. Eu não passo por ali. Sem *chance*, mané.

– Estou brincando – confessou Cody. – Mas, se você conseguisse passar seu braço por ali...

– Não consigo alcançar a corrente dali de baixo. E eu tenho os menores braços! – disse M.E.

Cody voltou a atenção para Luke, o mais alto da turma. – Luke, você tem que tentar alcançar a corrente e abri-la.

– Eu? – perguntou Luke, piscando com ar de surpresa. Dando de ombros, ele deitou na varanda suja, colocando a cabeça perto da abertura, e se esticou para o lado de dentro.

– Está muito longe – falou Luke, grunhindo de raiva, enquanto se esforçava para alcançar o cadeado. – Preciso de um graveto ou algo parecido.

Cody procurou no jardim por alguma coisa que pudesse ajudar. O lugar estava repleto de esculturas de metal, muitas delas pareciam árvores e, algumas poucas, gatos. Ela encontrou uma com um galho de um metro, que parecia estar dobrado e balançava de um lado a outro. Ele se quebrou em suas mãos e ela o trouxe para Luke.

Ele pegou o graveto de metal comprido e o enfiou pela abertura da portinhola do gato. Apontando-o para cima, começou a esfregá-lo contra a corrente, tentando abri-la. Após diversas tentativas, ele a destrancou e a deslizou até a abertura. Cody ouviu o barulho da corrente caindo.

– Conseguimos! – disse Quinn, ajudando Luke a se levantar e limpando as costas dele. – Belo trabalho – Luke e Quinn comemoraram a vitória batendo as mãos com os punhos cerrados.

Cody e M.E. reviraram os olhos.

Os Caçadores de Códigos entraram se esgueirando porta adentro e foram em direção ao sofá. Quinn se ajoelhou para olhar lá embaixo e encontrou Abobra. Com delicadeza, tirou o gato do seu esconderijo e o entregou para Cody. Ajoelhou-se de novo. – Acho que tem alguma coisa *aqui*! – ele murmurou.

– O quê? Um tesouro? – perguntou Cody, tremendo de entusiasmo. O resto da turma se ajoelhou para procurar debaixo da estrutura metálica.

– É só um monte de furinhos – disse Luke, balançando a cabeça, decepcionado.

– Esperem aí – falou Cody, correndo os dedos pelos orifícios.

– Pode ser uma mensagem.

– Como o código Morse? – sugeriu Quinn.

– Não, não se trata do código Morse. Mas pode ser Braille – afirmou Cody.

– Ainda não aprendi Braille – disse Quinn, franzindo a testa.

– Eu sei as letras do meu nome em Braille – Cody se sentou e desenterrou o caderno dela. Ela copiou o padrão dos furos numa folha de papel.

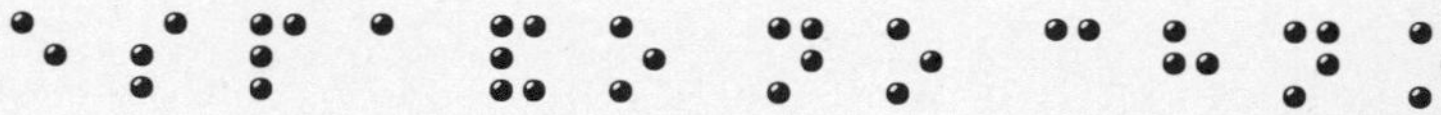

Confira em Respostas e Soluções dos Caçadores de Códigos, nas pp. 244 e 247.

Depois, ela escreveu o próprio nome em Braille.

– Vejam. O sexto símbolo pode ser um *O*. Aí, vem um *N* seguido por um *O* e outro *O* no final.

– Então, temos *E–S–branco–A–branco–O-–N–O–branco–branco–branco–O* – disse M.E., lendo as letras que Cody havia anotado logo abaixo dos pontos correspondentes. – Está faltando uma porção de letras.

– Eu também conheço algumas letras em Braille – falou Luke. – Aquele é um *H* – ele apontou para o segundo conjunto de pontinhos da última palavra.

Cody adicionou a letra à mensagem traduzida. Agora se lia: *E–S–branco–A–branco–O–N–O–branco–H–branco–O.*

– Ainda nenhuma pista – lamentou M.E., com uma voz desanimada.

– Ei, esperem! Eu também sei o meu apelido em Braille: Cody – Ela acrescentou a letra C no primeiro conjunto de pontinhos da última palavra. – Esao no cho – disse ela em voz alta e, em seguida, repetiu os sons, adicionando letras que se aproximassem de palavras conhecidas: – Espao no chio, espao no cheo, espaço no chão... É isso!

As crianças se entreolharam.

– Arrastem o sofá – pediu Cody. Luke e Quinn empurraram o sofá para o lado.

Quinn se ajoelhou novamente e enrolou o tapete retorcido e chamuscado. Para Cody, ele cheirava a borracha queimada, o que a fez torcer o nariz. Então, passando as mãos sobre o chão descoberto, Quinn encontrou uma tábua solta. Ele a ergueu.

As garotas perderam o fôlego.

Os garotos se cumprimentaram com o "toca aqui".

Cody sussurrou. – Parece o cofre do Homem Esqueleto!

Capítulo 14

— Mano, abre isso! – disse Luke com os olhos arregalados de tanta expectativa.

Quinn deu uma espiada na combinação do cofre. No lugar de números, encontrou as letras do alfabeto de *A* a *Z*. Ele girou o cadeado algumas vezes, tentando várias palavras: *Esquelet*, o nome da rua, *Francis Scott Key*, e até mesmo *abracadabra* e *abre-te sésamo*.

Nada deu certo.

– Não imagino que alguém saiba a combinação – disse Quinn, desistindo.

Cody sorriu. – Na verdade, acho que eu sei.

– Sim, *claro* – falou Quinn.

Cody ficou de joelhos, entregou Abobra para M.E. e girou o cadeado de combinação. O resto do grupo observava enquanto ela trabalhava. – Primeiro, para a direita... para o *F*... Depois, para a esquerda... *S*... Em seguida, de novo para a direita...

– Para a letra *K*! – disse M.E., acariciando o gato. – As iniciais do gato.

Cody parou na letra *K* e deu um puxão.

O cofre abriu, rangendo.

– Isso mesmo! – disse M.E.

Quinn franziu a testa e perguntou: – Como você sabia?

– Ótima intuição? – Cody conteve a risada.

Luke deu uma cotovelada nas costas dela. – Sem a menor chance, mano. Como você conseguiu isso?

Cody não podia mais manter o segredo. – Bem, só imaginei que, uma vez que tudo, até agora, envolvia Francis Scott, o gato tinha de ser a *chave* para o cadeado de combinação.

– Brilhante – disse M.E., dando uma risadinha.

Cody esticou a mão para o cofre, tateou lá dentro e pegou um pedaço de papel. O sorriso dela desapareceu. – Não tem dinheiro aqui. Só este pedaço de papel.

– Ah, que bom. *Outro* código – suspirou Quinn.

Cody desdobrou o papel. Após respirar fundo, leu o bilhete escrito à mão em voz alta. De novo, algumas palavras estavam mais escuras do que outras.

– **DENTRO PERMANECE** um enigma,
Onde deveria estar a grana.
TESTARÁ você **O** dinheiro?
Ou se foi com a **CINZA**?

– Tááá ceeerto – exclamou Luke, coçando a cabeça e arrumando o boné. – E agora?

– Posso ver o bilhete? – pediu Quinn. Cody o entregou a ele. – Isto é estranho...

– O que é estranho? – quis saber M.E.

– Este bilhete. É muito parecido com o primeiro, aquele poema, que encontramos dentro da casa, lembram-se? Alguma coisa sobre "atrás da moldura".

– Quinn, me dá a caixinha, por favor – disse Cody.

Quinn a tirou do bolso e a deu para Cody. Ela ergueu a tampa aberta e o releu para a turma:

– **TESTARÁ** você **O** dinheiro?

Não, não está **DENTRO**.

PERMANECE nas **CINZA**s.

Não é lugar para se esconder.

Por alguns instantes, ninguém disse uma só palavra. Então, Luke falou alto: – Ainda não entendi.

Quinn releu ambas as mensagens. – As charadas são semelhantes – disse ele, assim que terminou. – Vejam como algumas mesmas palavras são utilizadas. Contudo, as linhas dos poemas são diferentes.

Cody acenou com a cabeça eufórica. – As mesmas palavras nas duas mensagens estão mais escuras e escritas em letra maiúscula. Deve haver um motivo.

– Tá bem, entããããão... – falou Luke, pensando em voz alta. – Aqui diz “O dinheiro não está dentro” e “Permanece nas cinzas”. Ainda não nos diz nada.

– Talvez não sobre a charada verdadeira – disse Cody. – Mas, quem sabe, as palavras em destaque sejam a chave – ela deu seu caderno de códigos para M.E. – Anote aí.

M.E. procurou uma página em branco. – Vai.

– Certo, vamos ver. Anote *testará*, *o*, *dentro*, *permanece* e *cinzas*. Essas são exatamente as mesmas palavras, as palavras em destaque, usadas nos dois bilhetes.

M.E. escreveu no papel as cinco palavras em letra de imprensa, de maneira ordenada, e, então, as leu em voz alta. – Testará... o... dentro... cinzas... permanece.

Luke fez uma careta, nitidamente confuso. Ele pegou a caixa de metal de Cody. – Esperem aí. Isso me faz lembrar dos enigmas da minha *grand-mère*. Ela adora anagramas, aquelas letras embaralhadas que, colocadas em ordem, formam uma palavra. Para me ajudar a aprender, ela criava anagramas a partir das minhas palavras de ortografia. Como estas – ele escreveu as letras *A. N. G. E. I. M.* na folha do caderno de Cody.

– Angeim? – perguntou M.E., lendo as letras todas juntas.

– Coloquem as letras em ordem – falou Luke, dando a caneta a ela.

Como Luke já havia explicado, M.E. só precisou de alguns segundos para reordenar as letras. – Enigma!

– É isso aí! – Luke a cumprimentou com o "toca aqui". – Então, pode ser que as *palavras* sejam anagramas, todas misturadas, em vez de letras. Deixe-me tentar reordená-las.

Luke pegou o caderno e a caneta de M.E. e começou a trabalhar. Ele escreveu sua primeira tentativa por extenso.

– *Testará o cinzas permanece dentro* – ele balançou a cabeça negativamente e riscou a frase. – *Dentro testará permanece o cinzas* – Luke riscou outra linha. – *Cinzas permanece dentro...*

Quinn levantou a mão.

– Espera, Luke. Não é *cinzas*. Só a palavra *cinza* está em destaque. Tente outra vez só com *cinza*.

– *Dentro o cinza permanece testará* – Luke escreveu e, aí, chacoalhou os ombros. – Ainda não faz sentido.

– Quem sabe seja uma pergunta – disse Cody. – Tente começar com *testará*.

– *Testará o cinza permanece dentro... Testará dentro permanece... Testará permanece dentro o... cinza?* – Luke tentou algumas outras combinações e acabou finalizando com a frase sem pé nem cabeça: – *Cinza o dentro permanece testará.*

– Acho que consegui – falou Quinn. Ele tinha ficado em pé, de frente para Luke, lendo a mensagem de cabeça para baixo e de trás para a frente. – Que tal "O testamento permanece dentro da cinza"?

– O testamento... – Cody repetiu devagar – permanece... dentro da cinza... Acho que você tem razão, Quinn. É *testamento*, um substantivo, não um verbo, como em "o testamento do Homem Esqueleto". "Permanece"... "está escondido"... "dentro da... cinza"?! – o entusiasmo na voz dela sumiu. – Mas se o testamento permanece dentro das cinzas...

– Então, ele queimou todinho – disse M.E., concluindo a frase.

Quinn fechou a cara. – Não é "cinzas", lembram-se? É "cinza".

– Por que não cinzas? – insistiu Cody. – Não se pode ter uma única cinza – ela olhou para a janela quebrada, tentando imaginar o que o Homem Esqueleto estava querendo dizer. Conforme seus olhos iam percorrendo escultura por escultura, ela repassava as diversas possibilidades na cabeça. Onde poderia o Homem Esqueleto ter escondido o testamento, senão nas cinzas? Na lata de cinzas? No pé de freixo acinzentado...

Seus olhos se fixaram na única escultura de árvore no jardim que não se parecia com as outras. Além das esculturas de gato, havia pelo menos uma dúzia de árvores de metal por ali. Todas eram muito semelhantes – exceto uma.

Cody apontou para a janela. – Veem aquela árvore lá fora?

Todos acompanharam o dedo dela.

– Percebem como é diferente das demais? – continuou ela.

Quinn encolheu os ombros. – Talvez o Homem Esqueleto tenha se cansado de fazer sempre a mesma árvore. Aquele tipo é igual ao do seu jardim, Cody, exceto pelo metal.

Os olhos de Cody brilharam. – Exatamente! E adivinhem que tipo de árvore ela é.

Quinn franziu a testa. – Um pé de freixo?

Luke arregalou os olhos. – Mano! Você acha que o testamento do Homem Esqueleto está escondido naquela escultura de árvore, naquele pé de freixo de metal cinza?

– Acho melhor descobrirmos antes que aquela mulher maluca e o parceiro dela apareçam – sugeriu Quinn. – Eles disseram que iriam voltar. Imagino que não tenhamos muito tempo.

Eles correram para fora, na direção do freixo esculpido. Enquanto as outras árvores possuíam troncos finos e folhas grandes, a obra de arte metálica apresentava um tronco largo, galhos longos e finos, e folhas que balançavam e tilintavam em meio à brisa. Cody ficou admirada com o esforço necessário para criar aquilo. – O Homem Esqueleto, hã, senhor Esquelet, podia ser um ermitão estranho, porém ele também era um verdadeiro artista.

Quinn se ajoelhou e examinou a base da árvore. O resto do pessoal analisou os galhos e as folhas, à procura de alguma espécie de abertura, compartimento secreto, ou mensagem gravada.

– Achei alguma coisa! – disse Quinn. – Olhem, esta parte está solta e desliza. Tem um buraco por baixo – Quinn deslizou a placa de metal na base do tronco para o lado e encontrou uma abertura. Logo em seguida, retirou um envelope grande de lá. Na parte da frente, havia as seguintes palavras escritas à mão: ***Última vontade e testamento de Jake Esquelet***. Quinn o ergueu para mostrar aos amigos.

– Você o encontrou! O testamento do Homem Esqueleto – falou M.E. – Abra logo!

– Você acha que devemos? – indagou Cody.

– Talvez devêssemos levá-lo para o meu pai, já que ele é advogado.

– Boa ideia – concordou Luke.

Quinn, no entanto, não parecia estar escutando. Ele já havia aberto o envelope e estava tirando um punhado de papéis dobrados lá de dentro.

– Quinn! – disse Cody, balançando a cabeça com ar de reprovação.

– Só estou dando uma espiada rápida. Aí, vamos levá-lo para o seu pai – Quinn desdobrou os papéis e examinou cuidadosamente a folha de cima por alguns instantes antes de falar.

– Uau – exclamou ele, dobrando os papéis de novo e colocando-os de volta no envelope. – Vocês nunca vão adivinhar quanto dinheiro ele tem. E para quem ele vai deixar tudo!

– Shhh! – disse Cody. Ela deu uma olhada em volta. – Aqueles esquisitos podem ouvir você. Vamos sair daqui – os garotos conferiram, uma última vez, se não havia espiões por perto e, então, deixaram o jardim correndo.

Nenhum deles reparou no carro caindo aos pedaços, estacionado do outro lado da rua, nem tampouco nos dois passageiros espremidos nos bancos da frente.

Capítulo 15

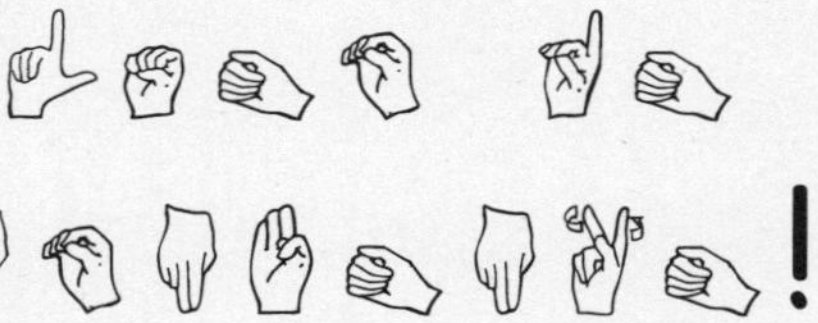

Cody e seus amigos seguiram para a sede do clube, a fim de esconder o testamento até que conseguissem que o pai dela desse uma olhada. Ela sabia que seu pai estaria o dia todo no tribunal. No caminho, Quinn lhes contou os detalhes do testamento: o velho homem havia planejado doar seu dinheiro – mais de cem mil dólares – para a SPA. Cody ficou espantada com a quantia e feliz, pois o dinheiro seria empregado em uma boa causa: amparar animais.

Assim que chegaram, Cody notou algo estranho com a porta da sede. Ela colocou um dedo nos lábios e apontou para a parte de baixo da porta.

Luke levantou a mão. – Eu vou averiguar – cochichou ele, e se ajoelhou para examinar as marcas. Ele se levantou. – Parece que alguém andou chutando a porta.

Luke inspecionou a área. Cody imaginou que, quem quer que fosse – provavelmente Matt, o Peste – já tinha ido embora há bastante tempo. Matt tinha ficado obcecado pela sede do clube desde que, um dia, seguiu o grupo até aquele lugar isolado. Cody sabia que se tratava somente de uma questão de tempo para que ele trouxesse a ferramenta adequada e arrombasse a porta. Matt, o Peste, era o principal motivo pelo qual eles escondiam as coisas importantes debaixo do piso de metal.

– Não parece que, quem quer que seja, tenha entrado – afirmou Luke. – A corrente e o cadeado ainda estão aqui – ele girou o cadeado de combinação, destrancou-o e deu um empurrão, abrindo a porta da sede. Após Luke dar uma conferida lá dentro, o restante do grupo entrou.

Quinn ergueu parte do piso de alumínio. – Temos de esconder este testamento até que o seu pai possa dar uma olhada nele, Cody – ele pôs o testamento no buraco e colocou o piso de volta. – Enquanto isso, temos de...

Cody pediu para Quinn ficar em silêncio. Ela pensou ter ouvido um barulho do lado de fora.

Eles congelaram de medo, com os olhos grudados na porta da sede.

Um golpe forte atingiu a porta, deixando-os apavorados. M.E. deu um grito e tampou a boca.

O som foi seguido de outra pancada forte e, depois, mais outra.

Alguém estava tentando derrubar a porta!

Antes que os Caçadores de Códigos pudessem fazer qualquer coisa, a porta veio abaixo, espatifando-se em pedaços e, por pouco, não atingiu Cody e M.E. Todos se agacharam e cobriram suas cabeças. Quando a poeira baixou, eles olharam para cima para ver o que parecia ser um jardim de flores gigante parado junto à entrada. Logo atrás, à espreita, um baixinho careca.

Jezebel e Jasper!

As crianças correram contra a parede, aterrorizadas. Pela expressão dos intrusos, não se tratava de uma visita de cortesia. Como eles os haviam encontrado? Era o que Cody se perguntava. Ela tentou passar por Jezebel agachada, mas a "Senhora das Flores" a pegou pela camiseta e a empurrou de volta. Naquela fração de segundo, ela teve tempo de vislumbrar a liberdade. Jezebel empurrou Cody contra a parede mais distante. A mulher não era só grande, mas também era forte. Cody esfregou a cabeça no ponto em que havia batido na quina da parede do quadro de recados. Ela sentiu que seus dedos ficaram molhados e levantou a mão.

Sangue!

– Onde ele está? – rosnou Jezebel para eles. – Sabemos que está com vocês.

– Isso mesmo – acrescentou Jasper. – Estávamos espiando vocês do outro lado da rua.

– Onde está o quê? – perguntou Luke, fingindo não saber do que se tratava. Cody sabia que ele estava procurando ganhar tempo.

– Vocês sabem do que estou falando – berrou Jezebel. – O testamento! Passa para cá!

Quinn balançou a cabeça. – Nós... Nós não sabemos do que você está falando. Nós não temos um testamento.

Jezebel olhou para Jasper, que permanecia em pé, atrás dela, de boca fechada. Ele deu um passo à frente e agarrou o braço de Quinn, segurando-o virado para trás. – É melhor nos dizer, rapazinho

– esbravejou Jasper –, ou a Jezebel aqui vai se sentar em cima de você. E, claro, você não quer isso – Jasper ficou rindo com sarcasmo até ganhar uma olhada fulminante de Jezebel, que, aparentemente, não gostou da alusão a seu peso.

Enquanto isso, Cody tentava pensar. Ela estava enfurecida com a batida na cabeça, que Jezebel a havia feito levar, e determinada a vencer aqueles loucos por dinheiro horripilantes.

– Está bem, está certo, eu vou contar! – disse ela. Os outros três a fuzilaram com os olhos. Ela colocou a mão esquerda fechada sobre a boca, apenas com o dedo indicador cerrado sobre o nariz, e as crianças sentiram um pequeno alívio. Cody havia feito o sinal para "mentira" na Libras.

– Essa é a garota – falou Jezebel. Jasper soltou o braço de Quinn.

– Nós... o escondemos – continuou Cody. – Numa caverna... na floresta – ela apontou para o alto da colina, onde, certo dia, os Caçadores de Códigos tinham ido fazer suas explorações e acabaram descobrindo uma caverna abandonada.

Jezebel franziu as sobrancelhas, meio desconfiada. – Onde exatamente?

– Vou fazer um mapa para você – disse Cody. Ela pegou uma folha de papel e desenhou um mapa, deixando marcas por todo o caminho: **T**ome a **E**strada. **N**a subida, **H**á **O** contorno. **P**asse **L**á perto do poço. **A**che uma caverna **N**atural **O**culta.

Confira em Respostas e Soluções dos Caçadores de Códigos, na p. 247.

Ela o mostrou para Jezebel. – Basta seguir este mapa. O testamento está escondido dentro da caverna.

Jezebel arrancou o mapa das mãos de Cody, deu uma olhada e o jogou no chão. Ele caiu virado para baixo.

– Esqueça o mapa. Você vai me mostrar. Vamos – ordenou Jezebel.

"Perfeito", pensou Cody, enquanto se ajoelhava e virava o papel para que seus amigos pudessem ver o mapa codificado. "Ela está seguindo o meu plano." Cody se levantou, deixando o mapa bem visível no chão.

– Eu disse vamos – repetiu Jezebel. – Você vai nos mostrar.

Cody olhou de relance para os seus amigos e, com a cabeça, acenou na direção do mapa caído no chão. Quinn olhou para ela e sorriu.

Ele entendeu a mensagem ao ler as letras maiúsculas.

– Jasper – prosseguiu Jezebel – fique aqui vigiando estes pestes. Se eu não voltar com aquele testamento... bem, você sabe o que fazer – ela riu para Cody com desprezo.

Jasper confirmou com a cabeça.

– Agora, amarre-os – acrescentou Jezebel.

Jasper tirou uma corda comprida da mochila que estava carregando e começou a amarrar os três. Ele os virou costas com costas, passou a corda em volta dos seus troncos e, em seguida, amarrou as mãos. Cody assistiu horrorizada, enquanto seus três amigos eram mantidos presos, indefesos, bem diante dos seus olhos. M.E. tinha começado a chorar, mas estava tentando, com muito esforço, engolir as lágrimas. Cody viu Luke cochichar alguma coisa para acalmá-la.

– Não se preocupe, pessoal – disse Cody aos amigos. – Vou mostrar a ela onde está o testamento e volto logo. Aí, eles nos deixarão em paz – ela se virou para Jezebel. – Não deixarão?

Jezebel a ignorou. Ao contrário, amarrou um pedaço de corda no pulso fino de Cody e, a outra ponta, no dela. Depois, deu um empurrão em Cody porta afora e foi atrás dela.

Devagar, Cody seguiu colina acima rumo à caverna, se perguntando se o leão da montanha teria feito dela a sua morada. Ela esperava que a caminhada lhe desse tempo para pensar num jeito de sair dessa confusão. Caso contrário, ela também acabaria no hospital como o Homem Esqueleto, ou pior: como refeição para um leão da montanha.

Quando se aproximavam da caverna, Jezebel já estava respirando com dificuldade, quase sem fôlego. Ao longo do caminho, a cada passada, ela era obrigada a parar para descansar. Cody estava quase sem ar, porém prendeu a respiração quando pensou ter ouvido um barulho vindo de dentro da caverna. Ela não conseguia ter certeza, com Jezebel resmungando e ofegando tão alto.

– Por que você quer tanto o testamento? – perguntou Cody, tentando ganhar tempo. – Ele não deixou o dinheiro dele para vocês.

– Dã – chiou Jezebel. – É por isso que temos de encontrá-lo antes que qualquer outro o faça, assim podemos destruí-lo e, no lugar dele, colocar outro testamento que seja mais vantajoso para nós.

– Você fez um testamento falso? – indagou Cody.

Jezebel sorriu com malícia. – Isso mesmo, é tudo parte do nosso plano. Com Jake fora do caminho, prenderemos aquela última ponta solta.

– O que quer dizer com "fora do caminho"?

– Ele é velho, você sabe. Está na hora de ele partir. Só estamos tentando ajudá-lo a chegar lá um pouquinho mais depressa.

Agora estava claro para Cody: Jezebel e Jasper tinham colocado fogo na casa do Homem Esqueleto.

– Chega de perguntas – disse Jezebel, ainda procurando recuperar o fôlego. – Agora, vamos pegar o testamento.

– Está lá dentro – Cody apontou na direção da entrada da caverna com a mão livre.

– Então, vá em frente. Pegue-o. Já! – bufou Jezebel, irritada.

Cody teve uma ideia e deu um puxão na corda que a prendia a Jezebel. – Está... lá dentro. Você vai ter de me desamarrar ou vir comigo, caso não tenha medo de leões da montanha.

– Leões da montanha? – Jezebel engoliu em seco e deu uma olhada ao redor, morrendo de medo. – De jeito nenhum que eu vou entrar lá, se existem leões da montanha rondando por aí – ela desamarrou a corda do pulso dela, libertando Cody. – Agora vá lá dentro e pegue aquele testamento, a menos que queira que aconteça alguma coisa com os seus colegas.

Cody sabia que, se fugisse, Jezebel e Jasper fariam algo terrível aos seus amigos. Ela não tinha alternativa a não ser entrar e, talvez, dar de cara com um leão da montanha faminto.

Cody pegou uma pedra que estava ali perto e a atirou dentro da caverna.

– O que você está fazendo? – berrou Jezebel. – Eu disse que é para você entrar.

– Só conferindo se o leão da montanha não está lá dentro – explicou Cody.

Os olhos de Jezebel se apertaram. Cody deu um passo adentro. Depois outro. E mais outro, até que Jezebel a perdeu de vista. Lá dentro, ela fez um barulho gutural alto e, em seguida, gritou: – Leão da montanha! – e saiu correndo pela entrada da caverna.

Antes que Jezebel conseguisse se mexer, Cody já tinha percorrido metade do caminho, colina abaixo, correndo a toda velocidade. A última coisa que ela ouviu foi o grito agudo de uma mulher muito apavorada, correndo o máximo que suas pernas podiam suportar, sem a menor dúvida de que certo leão da montanha estava prestes a atacá-la.

Quando Cody chegou à sede do clube, tinha outro plano. Ainda gritando "Leão da montanha!", entrou correndo repetindo desesperadamente "Leão da montanha! Leão da montanha!".

Jasper ficou olhando para Cody. – Do que você está falando? Cadê a Jezebel?

– Leão da montanha – repetiu ela quase sem fôlego. – Ele... ele está atrás da Jezebel. Você não ouviu falar sobre o leão? Deu em todos os noticiários.

Quinn, Luke e M.E., ainda amarrados entre si, costas com costas, começaram a gritar: – Nós temos de sair daqui!

Jasper olhou para seus rostos aterrorizados e disparou porta afora. Cody o observou ora correr, ora cair colina abaixo. Ele realmente estava *fugindo* do leão da montanha e de sua amada Jezebel.

Cody foi correndo em direção aos amigos e desamarrou as cordas o mais rápido que pôde.

– Você viu mesmo um leão da montanha? – perguntou M.E., ainda com uma expressão de terror estampada no rosto.

Cody balançou a cabeça. – Não, ainda bem. Mas, enquanto Jezebel e Jasper *pensarem* que existe um, ganhamos tempo para sair daqui.

Logo em seguida, as crianças desceram a colina rumo à relativa segurança proporcionada pela civilização. Pelo caminho, nenhum sinal de Jasper – nem de Jezebel.

– Droga! – exclamou Quinn, assim que alcançaram a rua. – Esqueci o testamento! Ainda está escondido debaixo do piso. Qualquer um pode entrar lá, agora que a porta foi derrubada.

– Nós voltaremos lá atrás disso mais tarde – disse Luke. – Quando tivermos o apoio de alguém.

– Você está certo – acrescentou Cody. Ela olhou para a floresta atrás deles, contente por ter se lembrado do leão da montanha e feliz por não ter visto um de verdade.

Ela não gostava da ideia de alguém – nem mesmo Jezebel – ser comido por um leão da montanha.

Capítulo 16

Meia hora mais tarde, Cody e a turma dos Caçadores de Códigos seguiram com destino à sede do clube, acompanhados por dois policiais de Berkeley: o sargento Carl Price e a tenente Susan Jones – a mãe de Cody. Tana queria ter ido junto, porém a mãe de Cody havia dito que era muito perigoso com uma dupla de ladrões tão inescrupulosos, sem falar num possível leão da montanha à solta. Ela havia pedido para o pai delas, que tinha saído do tribunal mais cedo, tomar conta da irmã de Cody.

Até agora não havia sinal de Jasper e Jezebel. Contudo, à medida que o grupo se aproximava da sede do clube, o maior temor de Cody se concretizava. Alguém – Jezebel e Jasper? – havia posto abaixo as paredes que ainda restavam, destruindo a sede.

– Ah, não! – exclamou Cody, horrorizada ao ver seu local secreto transformado numa pilha de entulho.

Quinn balançou a cabeça, inconformado, enquanto Luke apenas olhava fixo para os destroços. M.E. estava quase chorando.

– Vocês sabem quem fez isso? – perguntou o sargento Price, examinando os estragos.

– É bem possível que Jasper e Jezebel, ou, talvez, Matt – respondeu Cody, engolindo as próprias lágrimas.

– Quem são Jasper e Jezebel? – quis saber a mãe de Cody.

– Eu contei para você. São os supostos parentes do Homem Esqueleto, ou melhor, do senhor Esquelet. Eles vêm tentando encontrar o testamento dele. O plano é substituí-lo por um testamento falso para que consigam herdar a fortuna do senhor Esquelet – Cody parou e piscou diversas vezes antes de continuar a explicar tudo o que havia acontecido.

A mãe de Cody colocou um braço em volta da filha. – Gente, vocês foram espertos em fugir. Vamos mandar alguns policiais procurar aqueles dois – ela se virou para Quinn. – Que história é essa de testamento, Quinn?

Quinn olhou para Cody para ter certeza de que podia contar tudo para a tenente Jones. – Bem, nós encontramos o testamento do Homem Esqueleto, quero dizer, o testamento do senhor Esquelet, escondido no jardim dele.

– O que vocês estavam fazendo no jardim dele? – indagou a mãe de Cody, voltando a atenção para a filha.

– Ele nos mandou uma mensagem – explicou Cody. – Da janela do quarto dele. Ela dizia "socorro" no código de semáforas, mas só descobrimos isso quando já era tarde demais. Nós decodificamos outra mensagem dele, que foi a que nos levou até o testamento.

– Sim. Ele deixou pistas. Foi como ele soube do nosso Clube dos Caçadores de Códigos – completou M.E., esfregando os olhos.

O sargento Price olhou para o amontoado de escombros e, depois, se virou para as crianças. – Vocês, garotos, sabem que poderiam ter morrido. Tiveram sorte de escapar na hora certa. Bem... onde está esse suposto testamento?

Quinn deu uma olhada para o restante da turma. Ele estava prestes a revelar um grande segredo: o esconderijo da sede. Mas Cody sabia que ele não tinha escolha. Juntos, os amigos empurraram as paredes destruídas da sede até que o piso de metal ficasse visível. Quinn e Luke se ajoelharam e, juntos, ergueram parte do piso.

Quinn esticou a mão dentro do buraco na terra e puxou o envelope. Ele retirou os papéis que havia escondido lá dentro pouco antes de Jezebel e Jasper chegarem.

– Aqui – disse ele, entregando o conteúdo para o sargento Price. – O senhor Esquelet está planejando deixar todo o dinheiro dele para a SPA, para que tomem conta dos seus gatos. Acho que os parentes dele não gostam de animais tanto assim. Eles queriam o dinheiro para eles próprios.

– Que dinheiro? – perguntou a mãe de Cody. – Pensei que o homem estivesse praticamente na miséria.

– Na realidade, não – Cody sorriu para a mãe. – O testamento diz que ele possui mais de cem mil dólares.

Os policiais se entreolharam com as sobrancelhas erguidas.

– Manos... ou melhor, policiais – disse Luke. – Aqueles parentes dele foram os tais que botaram fogo na casa do Homem Esqueleto. Eles tentaram matá-lo.

A respiração de Cody parou na garganta. De repente, ela se lembrou de algo que Jezebel havia dito a caminho da caverna:

Está na hora de ele partir. Só estamos tentando ajudá-lo a chegar lá um pouquinho mais depressa.

"Talvez, eles ainda não tenham terminado", pensou Cody. – Vamos!

– O que é isso, Cody? – indagou sua mãe.

– Precisamos ir ao hospital – insistiu Cody. – O senhor Esquelet pode estar com problemas!

– Que tipo de problema? – perguntou a mãe de Cody.

– Jezebel e Jasper disseram que iriam ajudar o senhor Esquelet a... morrer.

Com faróis acesos e sirenes soando no volume máximo, o carro do esquadrão policial, com dois oficiais e quatro crianças, saiu acelerado rumo ao Hospital Geral de Berkeley, para onde Jake Esquelet havia sido levado. Assim que chegaram, dez minutos depois, saíram do veículo correndo, passaram pelas portas automáticas da entrada e foram direto à recepção. O sargento Price pediu informações sobre o quarto de Esquelet e ouviu um número como resposta. Ele desceu o saguão de entrada e os Caçadores de Códigos foram atrás dele.

– Esperem! Vocês, crianças, não podem entrar lá – disse uma enfermeira que estava por perto, mostrando uma prancheta para eles. – Não é permitida a entrada de crianças até o horário de visitas.

A mãe de Cody se voltou para a mulher com a mão apontando para o seu distintivo. Cody achou que sua mãe parecia valente e ficou orgulhosa dela.

– Eles estão com a gente – disse ela com autoridade. A enfermeira deu uma olhada no distintivo da tenente Jones e balançou a cabeça em desacordo. As crianças contiveram as risadas, enquanto alcançavam o sargento Price.

O sargento abriu a porta do quarto de Jake Esquelet e esticou a cabeça lá dentro. Cody não conseguia ver, com o sargento Price bloqueando a porta.

Então, ela ouviu: – Coloque isso exatamente ali!

O sargento Price abriu a porta e entrou.

Cody e seus amigos correram para dentro, mas ela paralisou quando percebeu a situação. Rondando o homem velho e frágil, estavam Jasper e Jezebel. Os braços e as pernas de Jezebel estavam cobertos por arranhões.

– Que diabos está acontecendo aqui? – perguntou Jasper, ficando de pé e tirando as mãos de cima de Jake Esquelet. Ele segurava uma folha de papel com uma das mãos e uma caneta com a outra. – Este é um quarto particular. Vocês não têm nada que...

A mãe de Cody mostrou a eles o seu distintivo. Jasper calou a boca.

Cody pegou o papel da mão de Jasper e o leu em voz alta: – "Última vontade e testamento de Jake Esquelet". É ele! O testamento falso. Acho que eles estão tentando forçá-lo a assinar!

Ela olhou para o velho homem deitado na cama. Os olhos dele estavam fechados. Ele não se mexia. A mãe de Cody tocou a campainha de emergência.

– Eles o mataram? – M.E. deu um grito estridente e, em seguida, tampou a boca com as mãos.

– Vocês dois, estão presos – anunciou o sargento Price à dupla.

– Sob quais alegações? – esbravejou Jezebel.

– Vamos começar com suspeita de tentativa de homicídio – respondeu o sargento Price.

Jasper e Jezebel ergueram os braços lentamente. A mãe de Cody confiscou o frasco de comprimidos que Jezebel estava escondendo na mão fechada.

– Vocês têm o direito de ficar calados – começou a dizer o sargento Price, enquanto pegava as algemas e as colocava em Jezebel, prendendo-a a Jasper. Jezebel se contorceu toda. – Vocês têm o direito de...

– Nós não fizemos nada! – esguelou Jezebel. – Só estamos visitando nosso querido primo doente.

A tenente Jones leu o rótulo do frasco de remédios. – Isto não se parece em nada com vitamina – falou ela. – Como disse o sargento, se parece mais com tentativa de homicídio, sem falar em incêndio criminoso, fraude, extorsão, falsificação... – ela prosseguiu com a lista, enquanto o sargento Price empurrava a dupla algemada porta afora e em direção ao saguão de entrada. Cody ouviu Jezebel se lamentando a cada degrau que descia para o corredor.

Os garotos voltaram a atenção para a mãe de Cody, que estava segurando o braço fraco e cheio de pintas do Homem Esqueleto. Parecia que ela estava tentando sentir o pulso dele.

"Onde está aquela enfermeira?", pensou Cody, com o coração acelerado.

Então, para seu espanto, ela viu um dos olhos do Homem Esqueleto se abrir.

Vermelho, o olho percorreu rapidamente o quarto.

A mãe de Cody segurava a mão dele. – Os tais dos seus primos se foram, senhor Esquelet. Na verdade, eles foram presos. Os bombeiros encontraram indícios de incêndio criminoso na sua casa. É bem possível que eles sejam acusados de ter colocado fogo na sua casa. E parece que nós os flagramos tentando falsificar o seu nome num testamento fraudulento – ela não mencionou o frasco de comprimidos que Jezebel tinha escondido na mão.

O olho de Jake Esquelet se fechou um pouco. Cody queria saber se ele tinha entendido o que a mãe dela havia dito.

Então, um dos lados da boca dele se abriu. Para Cody, parecia que ele estava tentando dizer alguma coisa.

– Está tudo bem com ele? – sussurrou Cody para a mãe. – Ele não consegue falar?

– Não, querida – respondeu baixinho a mãe de Cody. – Há alguns meses, ele teve um derrame.

– O que é um derrame? – perguntou M.E.

A mãe de Cody respirou fundo. – Um derrame é igual a um ataque cerebral. Acontece quando uma artéria é entupida, em geral, por um coágulo de sangue ou um rompimento de um vaso sanguíneo. Algumas vezes, quando isso acontece, as células cerebrais são afetadas. Isso pode prejudicar as habilidades motoras, quase sempre, em um dos lados do corpo. O braço e a perna esquerda do senhor Esquelet não estão se movimentando como deveriam e a fala dele foi afetada.

– Ele vai...? – murmurou M.E. Ela parecia incapaz de pronunciar a palavra *morrer*.

– Não necessariamente, querida. Mas ele tem feito fisioterapia para melhorar os movimentos. O fogo não ajudou em nada.

– Ele vai conseguir voltar a falar? – perguntou Cody.

– Esperamos que sim, com o auxílio de um profissional de fonoaudiologia.

A mãe de Cody se virou para o homem na cama. – Como está se sentindo, senhor Esquelet?

Para surpresa de Cody, ele levantou a mão direita e fez sinal de positivo com o polegar. O lado direito do seu rosto se ergueu, dando uma meia risada.

– Senhor Esquelet, estas crianças aqui encontraram o seu testamento – disse a mãe de Cody. – Sua vida e o seu dinheiro estão salvos graças a elas.

Jake Esquelet ergueu o polegar novamente.

– E também o seu gato está seguro: Abobra, ou melhor, Francis Scott – acrescentou Cody. – Vou cuidar dele até que você fique bem – ela olhou para a mãe. A tenente Jones fez que sim com a cabeça. – Os outros gatos estão na SPA, sãos e salvos.

Jake Esquelet olhou para Cody e, então, inclinou o dedo indicador direito para ela, fazendo sinal para que chegasse mais perto.

Cody se aproximou meio nervosa. Não estava muito acostumada com pessoas idosas. E nunca tinha estado perto de uma pessoa com metade do corpo paralisado.

Jake Esquelet estendeu a mão direita e ela a segurou. A mão dele era ressecada, fria e esquelética, porém havia carinho no seu gentil aperto de mão. Cody sorriu para ele.

– Eu sou Cody. Moro do outro lado da rua, em frente à sua casa – ela se voltou para os outros Caçadores de Códigos e os apresentou um a um. – Este é o Quinn, ele é o seu vizinho do lado.

Quinn tirou os óculos de sol e acenou. Jake o fitou.

– Este é o Luke, e aquela é a MariaElena. Nós a chamamos de M.E. Nós formamos o Clube dos

Caçadores de Códigos, porque gostamos de solucionar enigmas e decifrar códigos. Foi assim, afinal, que descobrimos que você estava com problemas, e onde estava escondido o seu testamento.

Jake Esquelet deu outro meio sorriso. O resto do rosto dele não se mexia.

– Tenho uma pergunta – Quinn chegou mais perto e passou a mão no cabelo com certo nervosismo. – Você costumava trabalhar para a CIA? Porque é isso que eu quero fazer quando crescer.

O velho homem balançou a cabeça e franziu uma das sobrancelhas. Em seguida, ergueu a mão boa e começou a fazer gestos.

– Ele está tentando nos dizer alguma coisa – falou Quinn para os amigos.

Eles observaram atentamente, à medida que Jake Esquelet dobrava a mão no formato de uma pata com garras afiadas e fingia arranhar o ar. Cody prestou a máxima atenção. Como utilizava a Libras com a irmã surda, estava ficando craque na leitura de expressões faciais e de linguagem corporal.

– Você está sentindo coceira? – indagou M.E., se aproximando. Jake Esquelet respondeu que não com a cabeça. Então, colocou a mão direita na altura da têmpora e a agitou para cima e para baixo.

– Orelha? – perguntou Luke.

De novo, ele negou balançando a cabeça. Por fim, ficou abrindo e fechando a mão perto da boca.

– Falar? – chutou Quinn.

Jake Esquelet fechou os olhos. Cody sabia que eles não estavam entendendo. Ela pensou por um instante e disse: – É óbvio que ele está tentando nos falar alguma coisa. Tudo o que temos de fazer é decodificar os gestos dele. Primeiro, ele fez o gesto de arranhar como gato. O segundo parecia uma orelha, mas, em vez de apontar para a orelha, ele levantou a mão, como se a orelha estivesse em pé. Como a orelha de um cavalo. E o terceiro tipo de gesto parecia um bico de pato abrindo e fechando.

Jake Esquelet arregalou um dos olhos. Uma lágrima brilhou.

– Um gato. Um cavalo. Um pato. Então, o que todos eles têm em comum? Todos são animais – Cody olhou para Jake Esquelet.

Esquelet confirmou com a cabeça e deu meio sorriso.

– Você trabalhava com animais? – perguntou Quinn. – Como no zoológico, ou no circo, ou algo assim?

Esquelet balançou a cabeça. Em seguida, ergueu o braço direito, apontou o dedo e o trouxe até o braço esquerdo em movimento.

– Parece que ele está se dando um tiro – disse Quinn, olhando para os demais.

– Você precisa de algum remédio? – indagou Luke.

Jake Esquelet balançou a cabeça.

– Você precisa de um médico? – perguntou M.E.

Jake Esquelet fez que não, balançando a cabeça mais uma vez. Depois, ele apontou para si mesmo.

O rosto de Cody se iluminou. – Você era médico?

Ele confirmou com a cabeça.

– Um médico de animais? Um veterinário? – perguntou ela.

Jake Esquelet ergueu o polegar.

– Que legal! Não é de se admirar que você tivesse tantos gatos – comentou M.E.

Naquele momento, a enfermeira entrou no quarto e deu a todos eles uma olhada do tipo "o tempo acabou".

– Crianças, é melhor irmos andando – disse a mãe de Cody. – O dr. Esquelet precisa descansar.

Os Caçadores de Códigos concordaram, acenando com a cabeça. Cada um deles fez um afago no braço direito do velho homem. Cody pensou sobre como a imagem que eles tinham a respeito do Homem Esqueleto – o dr. Esquelet – havia mudado em tão pouco tempo. Em vez de ser o ermitão assustador cheio de gatos e esculturas bizarras, as quais mantinha para si próprio, na realidade ele era um médico veterinário aposentado que adorava animais e fazia arte em metal. Eles só não tinham tido paciência para tentar conhecê-lo. E após o derrame, ele havia ficado ainda mais recluso.

– Tive uma ideia – disse Cody, virando-se para o Homem Esqueleto. – Você é realmente muito bom em fazer gestos, dr. Esquelet. Estou ensinando a Libras para os meus amigos. Que tal a gente vir aqui e lhe mostrar alguns sinais, para que consiga se comunicar até que a sua fala volte ao normal?

Jake Esquelet deu uma meia risada. Ele começou a dizer algo e, então, seus olhos se encheram de lágrimas novamente.

Cody chegou mais perto. – Aqui. Vou lhe ensinar seu primeiro sinal – ela pensou em ensinar a ele o sinal para "amigo", mas eram necessárias as duas mãos. – Eu sei... faça este – ela puxou, com as mãos e os cinco dedos abertos, uns bigodes imaginários saindo do lado do rosto. – Este é para "gato" na Libras. Afinal de contas, a chave para todo esse enigma foi um gato.

Jake Esquelet repetiu o sinal com seus dedos esqueléticos.

– Amanhã, nós lhe ensinaremos o alfabeto. Dessa maneira, você será capaz de dizer o que quiser. E, aí, talvez, possa nos contar como sabia que poderíamos ajudá-lo, quando escreveu aquelas semáforas na sua janela.

Capítulo 17

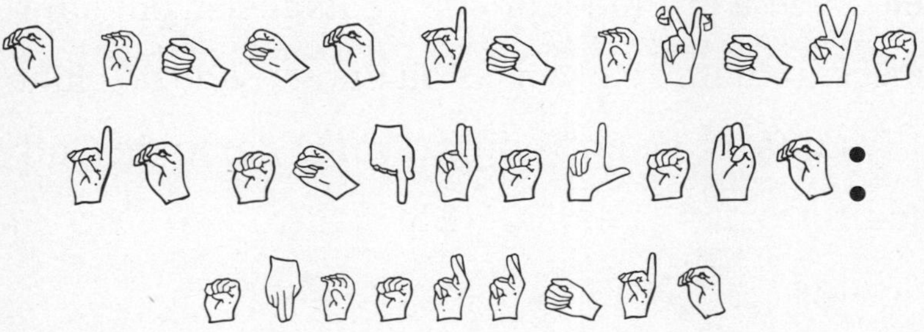

— Foi realmente muito gentil da parte de vocês, crianças, se oferecerem para ensinar a Libras ao dr. Esquelet – disse a mãe de Cody mais tarde, naquela noite, durante o jantar com espaguete. Ela havia convidado os demais Caçadores de Códigos para se juntarem a elas.

– Faauu sarr duffaatuddu – falou Quinn. Cody entendeu que aquele era o código da boca-cheia--de-pão-de-alho para “Vai ser divertido”.

– Sim – concordou ela. – E eu tenho de tomar conta do Abobra até o dr. Esquelet sair do hospital. Gostaria de poder ficar com ele.

– Bem, pessoal – disse a mãe de Cody –, recebi um telefonema da cuidadora do dr. Esquelet, enquanto vocês traziam suas coisas da antiga sede do clube.

Os quatro se entreolharam. O garfo de Cody ficou suspenso no ar. Ela sentiu um frio na barriga.

– Ele está bem? – perguntou Cody.

– Ah, sim, está se saindo bem. Ele mandou uma mensagem para todos vocês. Ele a digitou num *notebook* que a cuidadora levou para ele. Ela leu a mensagem dele para mim pelo telefone.

– O que diz? – quis saber Luke.

– Ele disse que vai usar parte do dinheiro dele para ajudá-los a construir uma nova sede para o clube. Quando soube tudo o que vocês tinham feito para ajudá-lo, ele quis fazer algo em agradecimento a vocês.

– Uau! – exclamou Quinn. – Isso é *bárbaro*. Uma sede do clube novinha em folha.

M.E. bateu palmas. – Isso é muito legal!

Cody olhou para Luke. Para sua surpresa, Luke estava de cara fechada.

– O que há de errado, Luke? – perguntou Cody. – Você quer uma sede nova para o clube, não quer?

– Claro, com certeza. Porém, ainda existe uma coisa que eu não entendi. Nós achávamos que ele trabalhava para a CIA, mas acabamos descobrindo que era veterinário. Então, e todos aqueles enigmas? E aquele certificado na parede? O que era tudo aquilo?

– Ah, até que enfim entendi aquilo – afirmou Quinn. – As letras no certificado eram de SPA, e não de CIA. Ele o ganhou pelo seu trabalho de resgatar e salvar gatos. O certificado estava queimado, exceto o par de letras: *CA*. Nós simplesmente fizemos a leitura errada.

– Mas, e quanto ao *I*? Eu sei que eu vi *CIA* – insistiu Luke.

– Era um borrão – fuligem do incêndio. Na hora, achei que o *I* era meio estranho, porque não se parecia exatamente com as outras letras.

– Mano, nada nesse caso era como parecia ser – disse Luke, balançando a cabeça.

– Então, por que ele criou todos aqueles enigmas? – perguntou M.E.

– Eu sei a resposta para isso – a mãe de Cody falou mais alto. – Ele explicou para a cuidadora que leu o bilhete dele para mim. Ele sabia que, algum dia, os seus primos distantes, Jasper e Jezebel, viriam atrás do dinheiro dele. Eles estavam sempre o questionando sobre o assunto. Então, ele fez o testamento e deixou mensagens codificadas, que indicavam a sua localização. Ele sabia que Jasper e Jezebel não eram espertos o suficiente para desvendar os enigmas. E sabia que vocês, crianças, adoravam enigmas e códigos. Ele ouviu vocês conversando no jardim do Quinn e ficou sabendo sobre o seu clube. Lembram-se que vocês disseram que ele estava sempre observando vocês?

– Ele é incrível demais – Cody levou o prato dela para a cozinha. Os outros três fizeram o mesmo.

– Você ficou sabendo alguma coisa de Matt, o Peste? – Quinn perguntou para a mãe de Cody.

– O sargento e eu fomos visitá-lo e falamos com os pais dele. Ele garantiu não ter nada a ver com a destruição da sede do clube, exceto pelo fato de ter jogado uma pedra nela.

– Por que ele faria isso? – perguntou Cody.

– Talvez ele estivesse com ciúme de vocês, pessoal. Talvez ele queira, de fato, fazer parte do clube e só não saiba como pedir isso.

Cody pensou sobre as palavras da mãe. Era provável que ela tivesse razão, mas Cody ainda não o queria no clube. Quem sabe eles pudessem incluí-lo de outra forma. Ela precisava refletir a respeito. Ele poderia ser tão irritante!

– Ouçam, garotos, vão fazer a lição de casa – falou a mãe de Cody. – Eu vou lavar a louça. Que tal uns bolinhos mais tarde?

Cody se lembrou dos bolinhos que, mais cedo, tinham saído voando por toda a cantina, e fez careta. – Muito obrigada, mãe, mas pode ser sorvete no lugar de bolinhos?

Cody levou os amigos para o quarto dela, no andar de cima. Ela se sentou à sua escrivaninha, enquanto Luke e Quinn se jogaram na cama e M.E. se equilibrava no pufe. Cody ligou o computador para ver suas mensagens de texto e de *e-mail*, antes de começar a fazer a lição de Matemática. Fazia horas que havia checado tudo, e ela estava esperando uma mensagem do pai dela a respeito do testamento de Jake Esquelet.

Ela se conectou, clicou em “caixa de entrada”, e ficou observando enquanto uma dúzia de mensagens eram carregadas. As primeiras eram lixo eletrônico, que logo tratou de deletar. As próximas duas eram respostas para algumas dúvidas da lição de casa, que havia solicitado ao site *Ajuda para Lição de Casa.* Apareceram mais três mensagens dos grupos de discussão aos quais ela pertencia: Bate-papoConectado, LocaldeEnigmas e MansãoMisteriosa. A última mensagem era do pai dela.

Para: codigovermelho@clubedoscacadoresde-codigos.com

De: mikejones@direitojones.com

Assunto: Testamento do Esquelet

Mensagem:

Oi, Dakota. AKI é seu pai. PQVC está no computador em vez de estar fazendo lição de casa??? Brinkadeirinha ;)

Cody achou graça da tentativa do pai dela de usar mensagens em código antes que ela continuasse a ler.

O testamento do Esquelet é autêntico. Vou guardá-lo num cofre aqui do meu escritório até encontrá-lo amanhã. Belo trabalho, ajudá-lo a salvar-se como fizeram. Você e os Caçadores de Códigos, certo?

FCV+T. Amor, Papai

Cody suspirou aliviada com as notícias. Caso encerrado. Ela abriu a última mensagem e prendeu a respiração. Os pelinhos da nuca dela se arrepiaram, enquanto analisava a mensagem enigmática.

Para: codigovermelho@clubedoscacadores-decodigos.com

De: asombra@questao.com

Assunto: Caça ao Tesouro

Mensagem:

Da escuridão fria acolá

Vem uma noite com misterioso nevoeiro.... a envolver a ilha a dormir

Aqueles sagrados, encovados, cansados espíritos,

Fantasmas vigorosos, lá espero que veja você...

Além, sozinho, escondido, muito sombrio, encravado

De vez está um local de tesouros assim.

--Z

Cody ficou olhando, parada, em frente à tela do computador. Era para ser algum tipo de poema de alguém que se autointitulava A Sombra? Se era, não fazia sentido. – Ei, pessoal. Algum de vocês enviou isto para mim? – os três olharam para a tela e responderam que não com a cabeça.

– Ele se parece com um poema antigo. O que diz? – perguntou M.E.

– Não tenho certeza. É de alguém que se chama A Sombra.

– Quem sabe não é um código – disse Quinn. – Viram? Algumas letras estão em negrito.

Cody assinalou a mensagem e a copiou como um novo documento. Em seguida, tirou todas as letras que não estavam em negrito, deixando:

D es a f i o

V o c e a

v i r

A o

Fa ro l

A s s o m br

a do

De a l ca t r a

Z

– Experimente pronunciá-las em voz alta – sugeriu Luke, e, então, começou com: – Desafio...

Pouco depois, ele havia traduzido o poema codificado.

Confira em Respostas e Soluções dos Caçadores de Códigos, na p. 247.

– Parece legal – disse Cody. – Quando podemos ir?

Livro de Respostas

e

Soluções

dos

CAÇADORES DE CÓDIGOS

Língua Brasileira de Sinais (Libras):

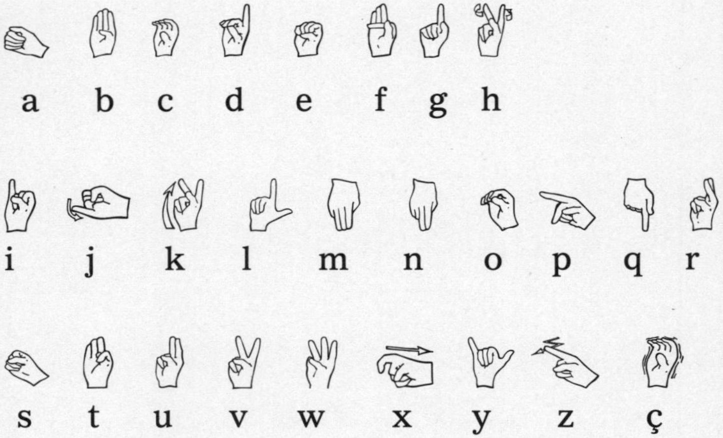

Código Morse:

A .-
B -...
C -.-.
D -..
E .
F ..-.
G --.
H ....
I ..
J .---
K -.-
L .-..
M --
N -.
O ---
P .--.
Q --.-
R .-.
S ...
T -
U ..-
V ...-
W .--
X -..-
Y -.--
Z --..

Cifra de César:

1	**2**	**3**	**4**	**5**	**6**	**7**	**8**	**9**
c	o	d	e	b	u	s	t	r

10	**11**	**12**	**13**	**14**	**15**	**16**	**17**
z	i	n	l	k	m	a	y

18	**19**	**20**	**21**	**22**	**23**	**24**	**25**	**26**
x	h	j	f	g	p	v	w	q

Semáforas:

a b c d e f g h i

j k l m n o p q r

s t u v w x y z

Alfabeto Braille:

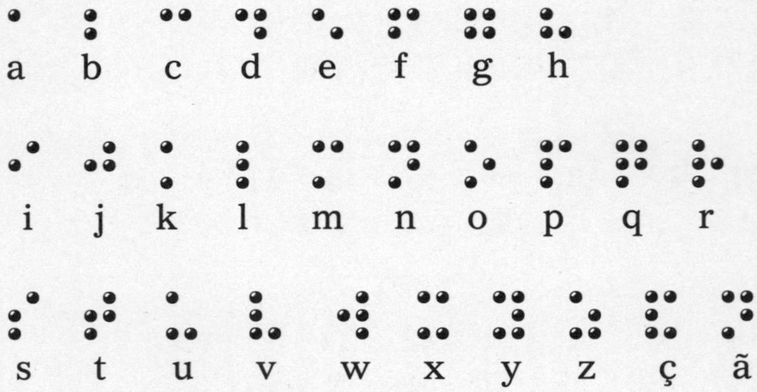

<u>Capítulo 1</u>

Código alfanumérico: 5-14-20-18-5 16-1-18-1 15 3-12-21-2-5 4-15-19 3-1-3-1-4-15-18-5-19 4-5 3-15-4-9-7-15-19

Entre para o Clube dos Caçadores de Códigos.

<u>Capítulo 2</u>

Libras:

Fogo. Do outro lado da rua.

Preciso vestir. Papai chegando.

Capítulo 3

Código ABC: **Encontro sede do clube após escola. Sete Chaves.**

Capítulo 4

Cifra de César:

12-16-2 3-4-11-18-4 3-4 15-4 4-12-1-2-12-8-9-16-9 12-2 15-16-7-8-9-2 3-16 5-16-12-3-4-11-9-16 3-4-23-2-11-7 3-16 4-7-1-2-13-16 15.4.

Não deixe de me encontrar no mastro da bandeira depois da escola. M.E.

Capítulo 5

Código Morse: **-.. .---**

D. J.

Capítulo 6

Tradução das mensagens de texto: **E aí, Vermelho? Boa sorte na prova de ortografia. Você consegue, garota! Falo com você mais tarde. Papai. Abraços.**

Oi, papai. Obrigada. Te vejo mais tarde. Abraços, Vermelho.

Código de consoantes: **Encontro na biblioteca às 19h.**

Capítulo 7

25 + 36 = 61 + 81 = 142 + 400 = 542 – 37 = **505**

Capítulo 8

Falando grego: as sílabas são separadas e, entre elas, é adicionado "ag". Nas palavras monossílabas, o "ag" é adicionado após a primeira sílaba. Por exemplo: "Não" fica "Nag-ão", "noite" fica "noiag-te".

Não esta noite. Amanhã.

Capítulo 10

Libras:

Ladrões.

Capítulo 11

Código Morse: **SOS. Matt na can. Preciso ajuda. SOS.**

Capítulo 13

Semáforas: **Debaixo do sofá.**

Braille: **Espaço no chão.**

Capítulo 15

“**T**ome a **E**strada. **N**a subida, **Há** **O** contorno. **P**asse **L**á perto do poço. **A**che uma caverna **N**atural **O**culta.” **Tenho plano.**

Capítulo 17

Desafio você a vir ao farol assombrado de Alcatraz.

Língua Brasileira de Sinais:

Tradução dos títulos dos capítulos

Capítulo 1 *A mão com garras afiadas*

Capítulo 2 *Em chamas*

Capítulo 3 *A mensagem secreta*

Capítulo 4 *O bilhete codificado*

Capítulo 5 *O caçador à espreita*

Capítulo 6 *Um encontro secreto*

Capítulo 7 *Sombra nas estantes*

Capítulo 8 *Um lugar secreto*

Capítulo 9 *Longe das cinzas*

Capítulo 10 *O fantasma preto*

Capítulo 11 *Travessuras na cantina*

Capítulo 12 *Guerra de comida*

Capítulo 13 *O que existe por baixo*

Capítulo 14 *O gato curioso*

Capítulo 15 *Leão da montanha!*

Capítulo 16 *A chave do Esqueleto*

Capítulo 17 *O caso da chave do Esqueleto: encerrado*